Narratori ◀ Feltrinelli

Erri De Luca
A grandezza naturale

© Giangiacomo Feltrinelli Editore Milano
Published by arrangement with Susanna Zevi Agenzia Letteraria, Milan
Prima edizione ne "I Narratori" aprile 2021
Seconda edizione aprile 2021

Stampa Grafica Veneta S.p.A. di Trebaseleghe - PD

ISBN 978-88-07-03435-0

Per le immagini:
p. 18, Marc Chagall, *Le Père* (© Chagall ®, RMN-Grand Palais / Dist. Foto SCALA, Firenze);
p. 33, Caravaggio, *Sacrificio di Isacco* (Gabinetto Fotografico delle Gallerie degli Uffizi – Foto Francesco del Vecchio);
p. 102, Lois Anvidalfarei, *Che precipita* (Archivio Fondazione Erri De Luca).

www.feltrinellieditore.it
Libri in uscita, interviste, reading,
commenti e percorsi di lettura.
Aggiornamenti quotidiani

razzismobruttastoria.net

A grandezza naturale

Premessa

Capita di ricevere l'insolubile domanda sul perché si scrive un libro. Le possibilità di risposta formano un genere letterario che svaria dall'impellente slancio creativo alla meno impegnativa giustifica. Mi avvicino di più alla seconda, devo giustificarmi.

Credo che il verbo più adatto alla narrativa non sia scrivere un libro ma commetterlo, alla maniera di un illecito. Mentre stendo questa nota lo sto commettendo.

Uno scrittore sta anche da imputato di fronte al lettore. Fattispecie del reato è lo spreco del suo tempo. Da qui la domanda indiscreta sul perché di un libro. Abbozzo una spiegazione relativa a questo.

Non sono padre. Il mio seme s'inaridisce con me, non ha trovato una via per diventare.

"La vita che in me si disperde si ritroverà in te e nel mio popolo," scrive Nazim Hikmet nell'ultima lettera a suo figlio Mehmet. Non è così per me, niente prolungamenti.

Per un malinteso compenso ho piantato molti semi in terra, minuscoli granelli sprofondati sotto una compatta massa. Come hanno saputo da che parte dirigere il germoglio? Sepolto come sotto una valanga, il seme sa la più diretta linea di salita per affiorare all'aria. Ha iscritta in sé la notizia della legge di gravità e per contrasto cresce in direzione opposta.

C'è in noi la sua sapienza? Se esiste non la riconosco. Da noi si cresce più facilmente in direzione conforme.

In queste pagine unisco storie estreme di genitori e figli. Ne sono estraneo a metà: senza essere padre, sono rimasto necessariamente figlio.

Non ho sperimentato la responsabilità, la protezione, la prova di educare. Non cambio comportamento con un giovane o un anziano. Da figlio li considero alla pari, dei contemporanei.

Da lettore e da scrittore lo divento delle storie che ho davanti. Nelle pagine seguenti sono coetaneo allo stesso tempo di Isacco e del pittore Marc Chagall. Basta una parola ebraica o russa per accostarmi a loro.

La parola tedesca "notbefehlstand" è stata altrettanto contagiosa. I criminali di guerra nazisti la facevano pronunciare dai loro avvocati. "Notbefehlstand": trovarsi nell'obbligo di eseguire ordini. Anche questo termine del telegrafico tedesco mi ha trasportato nei loro paraggi.

Il vocabolario è la mia macchina per attraversare il tempo.

In uno slancio di santa ingenuità il profeta Isaia ricorda alla divinità che la specie umana è figlia sua. "Attà avinu", tu sei nostro padre. È la prima formula della successiva preghiera cristiana Padre Nostro. A differenza della evangelica, quella di Isaia non è vocativa e non chiede. È invece accusativa: tu sei nostro padre e opera delle tue mani tutti noi. I defunti patriarchi non sono più dei padri, il titolo spetta alla divinità che è tenuta alla responsabilità verso i suoi figli.

Per il credente il Padre Nostro è una preghiera e anche una intestazione: al Padre Nostro residente in cielo. Gli si rivolgono richieste con verbo all'imperativo: dacci, rimetti, liberaci.

La divinità però ha spiegato fin dall'inizio che rinunciava all'onnipotenza per lasciare libertà alla creatura umana. Consiste nella scelta tra obbedire o trasgredire. Nel giardino di Eden, dopo la trasgressione la divinità discute con i due indisciplinati. La teologia parla di peccato originale, ma non riguarda solo la coppia esordiente. Comprende anche il loro artefice che li ha costituiti tali e quali. Dopo la disobbedienza non li cancella né li riprogramma. Se li tiene così. Il peccato originale è il suo marchio di fabbrica.

A questa libertà concessa si addice il deserto. In quello del Sinai si aggira un popolo appena slegato dalla servitù in Egitto. La libertà in quel vuoto sconfinato sgomenta fino a far desiderare il ritorno allo stato servile, oppresso ma sicuro. Succede alla libertà, alla democrazia di retrocedere nella tirannia. Un saltimbanco della provvidenza è pronto a scattare a molla dalla scatola chiusa e agitarsi gaglioffo a mezzo busto da un balcone.

Non posso applicare a mio padre la formula accusativa di Isaia. Non sono stato così strettamente sua manifattura. Ho preso da lui i libri, le montagne, ma non posso imputargli i miei torti, né ho ereditato i suoi. Più che da lui, devo l'impronta al secolo avuto in comune. A lui è toccata la parte peggiore.

C'è una sua camicia strappata per atto di dolore dietro alla mia uscita di figlio disertore dalla sua casa. Quel suono lacerato non lo conosco e non posso capirlo. Sta nel timpano anche se non l'ho udito. Mi è stato riferito il gesto. Ho aggiunto il rumore dello strappo, amplificato a squarcio. Gli assegno il movente di queste pagine.

Tra genitori e figli irrompe la terra di nessuno dell'adolescenza. Gli adulti sono d'improvviso il passato remoto. Le loro voci di rimprovero, anche se gridate arrivano attutite. Questo deserto deve diradarsi da solo, non c'è una direzione che lo abbrevi. I lutti lo approfondiscono, i primi innamoramenti lo prolungano.

In queste pagine ce n'è uno concreto, la prigione, scatolificio di vite scartate. Lì si scrivono ancora le lettere, carta, penna, inchiostro, busta, francobollo e giorni di viaggio tra mittente e destinatario. Si farebbe prima coi piccioni viaggiatori.

Al prigioniero serve almeno un indirizzo oltre le mura. Chi non ne ha sta in una penitenza più profonda. L'ora d'aria basta da sola a dire che le altre ventitré sono asfissia.

Nei pochi confessionali ai quali mi sono inginocchiato nell'età delle prime, seconde e forse terze comunioni, sentivo la domanda circa gli atti impuri, se ne avevo commessi. Mi sforzavo di compiacerla inventando che mettevo le dita nel naso e giocavo a far palline con il ricavato. Che non trattenevo apposta le scorregge. Non era sufficiente. Una volta ammisi di aver fatto pipì contro un albero della villa comunale.

"Pensaci bene, figliolo, non c'è altro?"

Rassegnato al fatto che lo deludevo, terminavo con: "No, padre". Seguiva un sospiro che mi rimproverava della reticenza, e poi una lunga sequenza di preghiere da recitare dopo. Le abbreviavo per impazienza. Anni dopo ho capito cosa fossero i malintesi atti impuri, tardi per rimediare.

Mi imbarazzava il titolo di padre per l'uomo seduto oltre la grata del confessionale. Dall'inginocchiatoio laterale percepivo la forma di un orecchio, di un profilo vago. I suoi bisbigli non erano quelli del compagno di banco che mi passava la risposta. Erano i bisbigli del suggeritore di scena, un repertorio di peccati ai quali dovevo corrispondere. Negarli, anche se non commessi, era un'insolenza.

Da allora non ho avuto alcuna attitudine e simpatia per il verbo confessare. In un processo a Torino ho avuto invece preferenza per il verbo ribadire. Imputato di frasi istigatrici a commettere atti criminosi, le ho ripetute a oltranza, tali e quali. Si trattava e si tratta ancora di vitali questioni di salute pubblica e di ambiente di un territorio offeso. Per la durata di due anni di quel procedimento ho continuato a ribadire le frasi incriminate.

Ho poi trovato in un libro, citato nelle pagine seguenti, la definizione di quella insistenza.

È in tribunale che si gioca più spesso la partita della libertà.

Mio padre non c'era più, posso perciò soltanto immaginare un suo mezzo sorriso neutrale tra lo Stato e suo figlio. È stato un cittadino leale, unico nel suo palazzo a non voler accedere a rimborsi per il terremoto. L'edificio non era stato danneggiato. C'era da spartirsi tra i condòmini qualche milioncino. Oggi si dice di vecchie lire, ma allora erano giovani. Il denaro non si distingue in base alla sua età, ma tra pulito e sporco. Si vuole invece che non abbia odore, "pecunia non olet", il denaro non puzza, dicevano i Romani. È questione di nasi. Esistono persone con fiuto sviluppato che permette loro di annusarne l'origine e scansarlo.

"Dottor De Luca, si può dire che li regalano, è peccato rifiutare."

"Prendeteli voi, io non mi sento in diritto."

"Ma è tutto in regola, c'è la perizia dell'ingegnere del Comune."

"Lo so, è agli atti. È falsa."

"Come sarebbe che è falsa? Ci stanno le crepe nelle scale."

"C'erano anche prima del terremoto."

"E va bene, saranno state di un altro terremoto. Siate ragionevole, volete fare la mosca bianca?"

"Voglio stare tranquillo con la coscienza. Non mi oppongo alla vostra pratica, ma non la posso sottoscrivere."

"Teniamo l'astenuto?"

"Tenete l'astenuto."

"Se mi permettete, dottor De Luca, qui state peccando di superbia."

"Se mi permettete, io la chiamo decenza."

Trascrivo queste poche battute di una riunione di condominio del 1981 perché le riferì lui a tavola ridendo.

Sono rimasto figlio di questo padre morto alla mia età di adesso. Anche se potrò morire più anziano di lui, rimango figlio. Non conosco il gradino profondo della paternità che produce il salto di generazione. Ignoro la sua grandezza naturale.

Grandezza naturale

Marc Chagall, *Il padre* (olio su tela, 1911).

La più severa storia tra padre e figlio si legge nella scrittura sacra. La voce che ha scaraventato Abramo fuori della sua terra verso un vagabondaggio senza arrivo torna a visitargli l'ascolto.

Stavolta non è all'imperativo secco: "Lekh, lekhà", vai, vattene, perentorio come un'espulsione.

Stavolta è: "Kah na", prendi, su. Quel "na" è un'esortazione. La divinità vuole verificare se basta anche un invito a scatenare l'obbedienza immediata del suo ascoltatore.

Basta. Abramo non percepisce la differenza tra un ordine e un invito.

Accetta di eseguire la più snaturata azione, uccidere suo figlio, il solo nato dal lungo amore con sua moglie Sara.

Obbedisce sapendo di tradirla, togliendo l'unica benedizione del suo grembo.

Gli affetti familiari per lui sono d'intensità minore del fervore dovuto.

È una prova che annienta e lui s'impegna a compierla al meglio delle sue capacità, comprese quelle di dissimulare, fingere, nascondere.

La divinità non ha dato istruzioni, limitandosi a stabilire il luogo del sacrificio.

1910, Marc Chagall è a Parigi, abita vicino al mattatoio, sente i muggiti delle bestie atterrite, dipinge mucche. Sta dove ogni artista sogna, ma per lui è più di una città accademia, è una seconda nascita. La Senna gli ricorda i tuffi nella Dvina. Per desiderio di adozione scrive in francese.

A San Pietroburgo è andato con un po' di aiuto paterno. Si è mantenuto dipingendo insegne per botteghe. A Parigi ricorda che fu laggiù, alle sponde della Neva, la sua prima mostra, una galleria all'aperto che oscillava al vento davanti a una macelleria, a un negozio di frutta.

È ancora Marek, non ancora Marc, ma intanto rasenta i nuovi pittori e gli capita di pensare a suo padre a Vizebsk, in Bielorussia, commerciante di aringhe. In una pagina di diario scrive: "Avete visto nei quadri fiorentini uno di quei personaggi con la barba incolta, gli occhi scuri, a volte cinerei, di un colore di ocra cotta, coperti di peli e di rughe? È mio padre [...]. Sollevava dei pesanti barili e il mio cuore si raggrinziva come un croccantino guardandolo alzare quei carichi e rimestare tra le piccole aringhe con le sue mani gelate. I suoi vestiti rilucevano della salamoia delle aringhe. Intorno cadevano dei riflessi sui fianchi. Solo, il suo volto, un po' giallo e un po' chiaro, rivolgeva ogni tanto un debole sorriso".

Il quadro di Chagall, le poche righe di accompagnamento prese dal suo diario, mi hanno scaraventato all'indietro, alla storia di Abramo con Isacco e alla prima tavola del Sinai che prescrive: "Dài peso a tuo padre e a tua madre".

Il verbo viene tradotto abitualmente con "Onora". Ma il verbo "Kabbèd" è quello materiale di un carico. Dài peso a quei due, perché quello è il tuo peso sul piatto del mondo, quello che hai dato a loro.

Chagall figlio nel suo ritratto del padre dà peso a Zakhàr Chagall, un peso commosso dal ricordo e dal ritardo.

La commozione messa a strati di colore proviene da un rimorso e da una gratitudine tardiva.

Le mani di suo padre, venditore di aringhe, rovinate dal ghiaccio, le mani non baciate dal figlio, non sono presenti. Moishe/Marek non ha osato raffigurarle. Di quelle mani, del loro odore, non andava fiero.

La loro assenza dal ritratto ammette che l'irreparabile è accaduto: non ha dato loro il peso. Quel peso mancato grava sul cuore mentre dipinge da lontano il padre.

Le mani di Abramo eseguono preparativi. Si legge che prende il coltello e il fuoco. Come si prende il fuoco? Oggi è facile accenderne uno con i combustibili e i sistemi di accensione. Ma come accendevano un fuoco sulla cima di un monte in mezzo ai sassi? C'è da portarsi dietro legna e fuoco.

La materia prima è caricata addosso a Isacco e ne serve parecchia per bruciare un corpo. La seconda è la brace del bivacco notturno, raccolta dentro un coccio. Per meglio accendere ha forse con sé della polvere di zolfo, elemento conosciuto e impiegato all'epoca dai nomadi.

I pittori che si sono dedicati a riprodurre il coltello sguainato sulla gola di Isacco hanno denunciato con forza quella mano robusta, ferma, pronta.

Ma prima Abramo ha lasciato i servi al bivacco e si è avviato in salita con il figlio dietro.

Isacco chiama: "Avì", padre mio.

Abramo risponde: "Hinnèni", eccomi.

Adesso Isacco sa. Suo padre ha usato la stessa risposta rivolta alla divinità.

Sa che non sono soli e che tra loro due è in corso una prova sotto sorveglianza.

Manca l'animale da abbattere sulle pietre grezze di un altare da costruire sul posto.

Suo padre che non lascia niente al caso ha già tutto il necessario per il sacrificio, perché è lui, Isacco, la vita da immolare.

Chagall figlio si sfila dall'ombra del padre. Non ne segue il mestiere, vuole ripulirsi dall'odore di pesce per il quale lo prendevano in giro. Lo ricoprirà con gli oli di pittura, con il diluente della trementina.

I bambini hanno olfatto selettivo, escludono o includono secondo cosa annusano. Il mio compagno di cento serate su palchi assortiti, Gian Maria Testa, mi raccontava che i suoi compagni di scuola si scansavano e nessuno voleva sedergli vicino. Prima delle lezioni, ogni mattina andava in stalla a mungere. I suoi panni sapevano di latte e di sterco. Marek era impregnato di aringhe, l'impronta di casa.

Lontano dalle casse sollevate dal padre, dalle dita sformate dalle artriti, Marek vuole imparare la leggerezza, la stesura precisa del tocco che sfiora la tela. Lo studia dove è nato, a Vizebsk, lo approfondisce a San Pietroburgo, infine a Parigi impara a calcare il tratto, a spingere sulla pennellata selvatica. La può raggiungere chi ha prima imparato quella lieve, che le donne allo specchio conoscono a memoria.

A Parigi ripensa a suo padre a Vizebsk, al massacro di Ebrei che coincise in città con il suo atto di nascita. Da lontano vede nitidamente quello che allora era sparso alla rinfusa dentro i sensi addestrati dal terrore.

Ferma le immagini che allora erano tempo in corsa. Tate Khashke, papà Zakhàr, nome che in Ebraico viene dal verbo ricordare. Marek ricorda con rabbia di se stesso l'uomo che gli ha permesso la libera uscita dal destino segnato. A Parigi si pianta di fronte a una tela stretta e lunga e decide di incontrare suo padre.

Isacco segue, non scarta di lato, non butta in terra il carico di legna e non scappa a perdifiato per salvarsi la vita.

Ho salito molte montagne con un carico sulle spalle. La cima avvicinata, a portata di sguardo, rinnova le energie. Gli ultimi passi sono i più leggeri.

Per Isacco i passi che portano sulla cresta spellata del Monte Morià pesano piombo. Non nei piedi, sul cuore: suo padre, il suo ideale, il beniamino della divinità che usò il coltello su di lui per la circoncisione, sta per ucciderlo in un posto deserto, guardandolo in faccia.

Lo sta facendo in obbedienza a una voce che nessun altro sente. Isacco alza lo sguardo al cielo per non guardare in terra gli occhi di suo padre. Sopra di lui galleggiano ali nere. Non è il cielo di Gerico pieno di cicogne migratorie in primavera e autunno.

I passi che lo conducono in cima arrivano al patibolo. Il sudore colato dalla fronte porta via qualche lacrima pesante. Ne esistono anche di leggere, come quelle di gioia. Quelle di Isacco scendono da altre sorgenti.

Le distanze profonde avvicinano. Strane creature siamo, tanto rigirate sottosopra. A Parigi, non a Vizebsk, Marek sente il debito di riconoscenza per suo padre. Riconosce dolorosamente di averlo ripudiato, liberandosi dell'odore dei suoi panni fino all'abbandono della fede paterna per un creatore universale.

Dipinge immagini: la divinità di suo padre le vietò a contrasto delle idolatrie, che se ne servono per rappresentarsi. Per Marek è la pittura la fede cui rivolgersi. L'artista trasfigura e così ricrea il mondo, da artefice secondo, con licenza di aggiornamento.

Marek si è staccato ancora acerbo, frutto caduto lontano. Si dice che sia il frutto a proteggere l'albero, non viceversa. Perché ci sia questa tutela bisogna che la pianta non sia spoglia, anzi feconda di germogli. Lui, Marek, invece l'ha spogliata. Nel debito della riconoscenza c'è il rimorso di lasciare indifeso il padre albero.

Da dove comincia Marek il pittore? Dalla testa, dal berretto calato sulla fronte, dai capelli che coprono le orecchie e le proteggono dal freddo e dagli strilli del mercato.

La faccia? Non ancora. Marek scende con il colore nero lungo la barba, poi il nero si allarga a cascata e pesa sulle spalle, la giacca, fino al petto e: basta. Il ritratto è una colata nera con un ovale in alto ancora vuoto.

Prima sparge un arcobaleno opaco in macchie e punti intorno alla testa, un'aureola fatta di coriandoli. È sfondo luminoso, com'è il passato, che non era così quando era presente. Lo diventa sotto la pressione del rimorso e della gratitudine.

Marek non è ancora pronto a guardare e dipingere in faccia suo padre.

Allora ricorda l'unto di salamoia che scoloriva il nero del vestito. Gli fa scorrere addosso un poco di miscuglio diluente. E si ricorda di una cravatta, l'unica, gliela dipinge al collo, alla maniera di sua madre che gliel'annodava. Perché un venditore di pesce deve presentarsi al suo banco di mercato con decoro.

Isacco è nel pieno del vigore, mentre suo padre è un vecchio. Basterebbe niente a ribellarsi, a sopraffarlo, oppure solo e semplicemente a lasciarlo lassù, con il suo mandante. E dopo?

Dove andare dopo avere alzato le mani su suo padre? Quale esilio lo proteggerà dall'atto di rivolta? Ma sarebbe legittima difesa. Non ce n'è di legittime contro il proprio padre.

Proprio io scrivo questo? Qui m'imbatto contro me stesso. Per molto meno di un incaprettamento su un'altura mi sono ribellato. Per molto meno ho disobbedito a mio padre dritto in faccia. È stato insopprimibile. Il silenzio addensatosi negli anni docili dell'adolescenza, il consenso formale a regole, condotte, abbigliamento, tempi programmati: l'intero fronte della pazienza cedeva. Non per urto frontale, fu una lenta diserzione, me ne andai sbandato, senza nessuna via.

Pensa a suo padre Tèrah, Abramo quando sguaina dal fode-ro la lama? A quanto diverso è stato lui con suo padre? Lo aveva abbandonato portandosi dietro moglie, servi, bestiame, per via di quella voce esplosa nel suo timpano. Non era un viaggio, era il vagabondaggio, l'ordine ricevuto, "Lekh, lekhà".

Secondo il Talmud, che commenta e espande la scrittura sacra, Abramo distrugge, prima di partire, le statuette votive di suo padre. Non solo di abbandono, anche di rivolta contro il sentimento religioso paterno, si sovraccarica il figlio primoge-nito di Tèrah, in nome dello zelo per la divinità a lui solo rive-lata.

Suo figlio Isacco invece si sta facendo scannare senza una protesta, un gesto di difesa.

Pensa Abramo a suo padre che l'ha lasciato andare sano, ricco, salvo, mentre lui ha appena legato il proprio figlio, per non farlo fuggire dai ceppi dell'altare?

Meglio di no, meglio evitare il confronto con loro, lui in mezzo tra due generazioni a rompere il passato e il futuro, co-me due estremità superflue. E questo per rispondere alla voce, per la seconda volta in vita sua: eccomi qua.

Eccomi qua: il solo tempo che possiede, il presente imme-diato, il giorno stesso.

Abramo disfa il nodo con suo padre e poi stringe quelli alle caviglie e ai polsi di suo figlio.

Non esiste legittima difesa contro il padre, non esiste di-ritto di rivolta? Ho scritto proprio io questa frase a smentita di me stesso, dei coetanei di una generazione che insorse con-tro i padri?

L'ho scritta per Isacco che si lasciò schiacciare per dare peso al padre. Lui è l'unico esempio contrario al diritto di insubordinazione. Lo escluse da sé, respinse la rivolta, ignorò la minima difesa.

Noi pensammo di superare i padri come si oltrepassa un

ostacolo, una recinzione. Credo che ci riuscimmo. Ma Isacco supera suo padre lasciandosi legare, sovrastare.

Chiuse gli occhi, o li tenne aperti? Il redattore del capitolo sorvola su dettagli che a me sembrano enormi. Uno scrittore non avrebbe rinunciato a ricavare un libro da quei pochi versi. Ma non è narratore, né scrittore. È uno scrivano che tramanda una storia ricevuta a memoria dalla voce delle generazioni. La sua novità è che la zittisce, mettendola per iscritto. Non su carta: su pelle conciata di animale e sulla sola faccia rivolta verso carne.

Isacco, nome assurdo, in Ebraico significa: riderà. Prima di lui non è neanche un nome, è un verbo al futuro, terza persona singolare.

Terza persona è Isacco, dopo suo nonno Tèrah e suo padre Abramo. Li supera per estremismo di obbedienza. Da suo padre, capace di rotture, separazioni brusche, non ha preso niente. Gli rendo omaggio da praticante della disobbedienza.

Non mi riscatta che mio padre sia morto nella casa che abito. Non mi redime che l'abbia accudito. Ho la mia parte dello strappo di Abramo con il suo. Lui è stato convocato da una voce, a me è toccata la chiamata di una generazione.

Il Monte Morià non è ancora il Sinai. Non è stata ancora scritta la frase: "Dài peso a tuo padre". Per Isacco è scritta in anticipo. Lui è il profeta muto di quella riga che apparterrà alla storia successiva. La vita precede la legge. L'articolo dettato sul Sinai ha per suo massimo esempio il silenzio di Isacco.

È passiva rassegnazione? No, Isacco aiuta suo padre, collabora alla sistemazione delle pietre per alzare l'altare. Offre caviglie e polsi alla legatura. "Akedà", la parola ebraica che definisce l'incaprettamento di Isacco, non apparirà in nessun altro luogo della scrittura sacra.

26

È doppia akedà, suo padre e lui sono legati insieme sulla cima deserta del Morià, muta come può essere una sommità larga di orizzonte ma senza una bava di brezza sulla faccia.

Marek è pronto per incontrare la faccia di suo padre. Il suo corpo è davanti a lui, mancano i tratti del volto che resistono alla messa a fuoco.

Marek continua a vedere una foschia su quella faccia rimasta a mille miglia a oriente di Parigi.

In Ebraico, oriente e prima sono lo stesso nome: "Kèdem". Allora Marek sposta la tela verso oriente, anche se da lì non viene luce. Aspetta che sia sera e illumina a candele il cavalletto.

Pensa alla faccia di suo padre, com'era quando lui, suo figlio, era bambino, primo di molti fratelli. Ancora non riesce. Una rissa si svolge tra la faccia del padre e il pennello del figlio. Quella faccia non vuole stare ferma, fa smorfie, si volta, serra gli occhi.

Si ribella, come si è ribellato lui, lasciando casa e lingua, perché Marek ha smesso di parlare yiddish.

Ci sono emigranti che mettono un guanto forestiero sulla lingua e cambiano arpeggio alle corde vocali.

Non è un rinnegamento. La propria lingua madre, il proprio dialetto restano inestirpabili e a loro si ricorre nei picchi di dolore e di sgomento. S'impara una grammatica seconda per adattarsi alla dislocazione.

Il termine inglese "displaced" attenua la lacerazione dell'esilio con il senso di semplice spostamento. Ma i "displaced" sono profughi, una parola che esige soccorso.

Nella Seconda guerra mondiale, da noi molte famiglie scappavano dalle città bombardate. Si usava e si usa ancora il termine "sfollati". Mia madre e la sua famiglia così continuarono a definire la loro condizione di fuggitivi in cerca di riparo. Erano profughi, la principale causa e la forza maggiore di bagagli della storia umana.

Marek sta per buttare la tela nella stufa. Non gli spunta lo yiddish sulle labbra, non impregna i suoi colori a olio. Gli sembra pure una liberazione, sciogliersi con il fuoco da quella nostalgia. Ma tra padre e figlio non si dà scioglimento. La loro akedà è definitiva.

Isacco offre al padre i polsi, Abramo lega prima le caviglie. Non può sapere fino a che punto arriverà l'obbedienza del figlio. Sa dove arriverà la sua, fino alla cima.

Lega dietro la schiena i polsi al figlio, a corda stretta per la posizione a gola tesa. È abituato a farlo coi montoni. Si costringe alla stessa legatura.

È pronto al sacrificio, intorno è tutto fermo. La cima è sotto il sole a picco, non c'è riparo sotto nessun'ombra e nessun riparo al dubbio. In alto galleggiano ali ferme sopra le correnti ascensionali.

Abramo estrae dal fodero di pelle la lama del coltello, affilata da tagliare il pelo. Serve che sia così per non causare sofferenza di lacerazione alla gola tesa. Il montone sviene per dissanguamento senza neanche accorgersi del taglio.

Non ha bisogno di sollevare l'arma, però lo fa lo stesso. Alza il coltello al cielo che glielo ha chiesto. Alza il coltello per farsi guidare. Alza il coltello e l'ombra della mano sta sulla gola del figlio.

Il lettore oggi sa che non la taglierà, Abramo no.

Non sa se è un'allucinazione dell'udito, la voce che lo chiama con il nome. Esita, dubita di essersela inventata, poi la risente più netta per la seconda volta, la voce che gli ha messo la vita sottosopra.

Moishe/Marek Chagall sta per buttare via il pennello che stringe, sollevato in alto, senza poterlo avvicinare alla tela. Afferra con le due mani la tela ancora fresca d'olio, che luccica al chiarore di candele. La stringe e, invece di spezzarla con un colpo sul ginocchio, sente una voce che da un'altra stanza lo sta chiamando. Marek non risponde. Si ferma, accosta la tela al viso e, dove dovrebbe stare la faccia di suo padre, in quello spazio bianco posa un bacio.

Ora lo vede. Attraverso le lacrime lo vede. Non rimette la tela sopra il cavalletto, la poggia in terra e comincia dagli occhi. Sono nere le pupille spalancate, quelle delle aringhe pescate tra il Baltico e l'Islanda. Intorno al nero ci sta il bianco del ghiaccio. Cambia pennello, ne prende uno largo e con quello cerchia di rosso gli occhi di suo padre. Non le guance magre, non è maschera di Purìm, di un Carnevale yiddish. Non è giorno di festa, è giorno di mercato. Il padre si solleva diritto tra una cassa di aringhe e l'altra, guarda in faccia il figlio.

Le cerchiature rosse sono la marchiatura del mestiere, impasto di sudore, salamoia, insonnia di giornate iniziate assai prima dell'alba. Chi si sveglia col sole già levato non s'intende di giorni avviati in piena notte. Quel rosso intorno agli occhi lo prende per licenza di pittore. Non è licenza, è riconoscimento di un'umiltà compresa finalmente, avvicinata dai pennelli come una carezza. Senza singhiozzi Marek piange e dipinge.

Non gli cade di mano il coltello quando percepisce le sillabe della sua divinità: "Attà iada'ti", adesso ho conosciuto. Adesso: solo adesso? Non lo sapeva prima? Non era tutto già determinato?

Abramo ammutolisce, neanche abbassa il braccio con la lama: la sua divinità non lo ha saputo prima. Non ha voluto saperlo, e così gli ha lasciato aperto il campo delle varianti, dal rifiuto all'obbedienza letterale. Si è ritirata, si è messa da parte per dare alla creatura umana lo sbaraglio di una risposta.

Libertà? Solo quella tra due, obbedire o negare. Chi risponde "Eccomi" ha già risposto prima di sapere.

Abramo apre le dita del coltello. Isacco a gola tesa aspetta. Non ha sentito voci, la cima del Morià per lui è rimasta muta. In nessun punto si legge che Abramo scioglie Isacco. Qui i nodi si disfano da soli.

L'alpinista Paul Preuss da primo di cordata si legava in vita con un nodo che si sarebbe sciolto da solo in caso di caduta, per non coinvolgere il suo secondo. Così è stata la legatura eseguita su Isacco: quando il coltello cade, il nodo è sciolto.

Molti secoli dopo, un altro Ebreo, l'ungherese Erik Weisz, in arte Harry Houdini, sbalordì le platee con le sue impossibili slegature. Forse volle imitare Isacco, che si sciolse o fu sciolto, lasciando il dubbio ai posteri.

Houdini scrisse in un libro alcuni dei suoi trucchi. Isacco e suo padre invece mantennero il segreto. Da loro in poi, il rapporto padre-figlio è una disputa tra un nodo e il suo disfacimento.

Nelle nostre conversazioni si usa dire: sacrificio di Isacco. Non ci fu. Scendono padre e figlio, alleggeriti dal carico portato fino in cima. Alle loro spalle brucia sopra l'altare una bestia scannata per supplenza.

In Ebraico l'episodio si dice: legatura di Isacco. Il nodo stretto tra loro due lassù è irreparabile, c'è stato. Lo scioglimento non può cancellare il gesto precedente d'incaprettare il figlio.

È l'alba di un secolo giovane, Marek si accorge che sta sbiadendo il buio dai vetri alle sue spalle. Per la durata della notte ha ricominciato a parlare yiddish con suo padre. Nel ritratto ha ancora la bocca aperta.

"Tate, tàtele, bleib gezint", papà stammi sano, insieme alla nostra Vizebsk ebraica per metà, quella che rimane di una dispersione verso l'Occidente. In tanti sono andati nelle Americhe. La Vizebsk degli Ebrei si sta svuotando. La rivoluzione in Russia li libererà dall'obbligo di stare nelle zone recintate.

Perciò si riempiono di loro bagagli le navi che esportano i figli d'Israele oltre l'Oceano Atlantico. A bordo i sarti, i ciabattini, i cappellai, i maestri di Talmud hanno il tempo di strofinare le palme delle mani sulle corde per inventare calli, da spendere all'arrivo. Alle dogane guardano più quelle che i documenti delle identità. Il callo nelle mani è passaporto e certificato di buona salute.

Per Marek il futuro sta sopra la tela, lì accelera i tempi. Per un artista il futuro è un terreno seminato già.

Gertrude Stein scrive di Picasso: "Il creatore non è in anticipo sulla sua generazione, è il primo fra i suoi contemporanei a essere consapevole di quello che sta succedendo alla propria generazione".

Marek a Parigi assorbe, filtra e puzza di pittura. Ma i suoi compagni intorno non si scansano più, sono anche loro intrisi di vernici a olio. È l'essenza del secolo nuovo, non ancora impazzito per il cinema e il nitrato d'argento delle pellicole.

È l'alba, il quadro è fatto, suo padre è lì davanti. Un ritratto può pareggiare il disavanzo tra l'opera di un padre e la notte di gratitudine di un figlio?

"Schwer zu sein a Yid", difficile essere un Ebreo, dice un proverbio yiddish. Ancora più difficile essere stato padre sotto un impero che tollerava regolari stragi di sudditi ebrei inermi, circondati da restrizioni e discriminazioni.

Ecco tuo figlio, giovane artista già riconosciuto che abita nella Parigi leggendaria dei pittori. Hai fatto un buon lavoro, commerciante di aringhe di Vizebsk, hai fatto un buon lavoro crescendo un giovanotto che si farà conoscere nel mondo. Ti ringrazia tuo figlio con un tuo ritratto composto alla maniera del nuovo 1900, secolo di molto originale.

Non ti riconosceresti e non diresti niente. Ti lisceresti la barba e accenneresti un sorriso: "Sono io quello?". Ammetteresti di essere rimasto indietro, che i tempi nuovi sgambettano il passato e lo deridono. Non ci sta neanche male, il passato buttato gambe all'aria da una bella e insolente gioventù. Nel tuo ritratto no, niente insolenza: qui tuo figlio lontano ha messo la sua corsa di salmone a risalire la corrente, il tempo, per deporre le uova della sua gratitudine nel punto esatto in cui è venuto al mondo.

Non è un pareggio con quello che gli hai dato, è molto meno. Però è il colmo raggiunto di una nostalgia.

In sinagoga piangi quando è il turno di leggere la pagina del padre che sale al monte col coltello e il fuoco. Come hai potuto, Avràm avinu, Abramo padre nostro?

Siete pari? Se no, che altro pareggio esiste? Le lacrime pareggiano e una loro notte basta a congiungere le duemila verste tra Montparnasse e Vizebsk, tra la Senna e la Dvina.

Tuo figlio, già rivoluzionario in pittura, aderirà alla nuova Russia dei Soviet, che esordisce ammettendo gli Ebrei all'uguaglianza. Aderisce e poi si allontana, secondo la deriva del secolo che va verso Occidente. Prima a Parigi, poi via dai nazisti negli Stati Uniti. A stragi terminate rientrerà in Europa, dipingerà pure a Gerusalemme.

È la vita di uno del 1900, secolo di promesse e minacce smisurate. Diventerà padre, passaggio che fa scordare e slega dallo stato di figlio.

Tu resterai piantato in un ritratto, formato uno a uno, grandezza naturale, quella che sta tra genitori e figli.

Caravaggio, *Sacrificio di Isacco* (olio su tela, 1598).

Nota

Fridtjof Nansen è stato un esploratore norvegese, poi Alto Commissario per i Rifugiati della Società delle Nazioni. Compì la prima traversata est-ovest della Groenlandia con gli sci, studiò le correnti oceaniche, partecipò alla stesura della Dichiarazione di indipendenza della Norvegia dalla Svezia. Concepì un passaporto utile a proteggere apolidi e rifugiati dopo la Prima guerra mondiale.

Il passaporto Nansen permise libertà di spostamento a circa mezzo milione di persone. Uno di questi documenti fu intestato a Marc Chagall. Un altro toccò a Igor' Stravinskij.

Apolide è chi perde la cittadinanza per privazione di Stato. In Italia le leggi razziali del 1938 la tolsero alle persone di origine ebraica.

Per il passaporto da lui voluto e realizzato, Nansen ricevette il Premio Nobel per la Pace nel 1922.

Oggi i princìpi di quel documento sono entrati nella Convenzione di Ginevra del 1951 sullo status di rifugiati. Ma per il rifugiato un conto è avere in tasca un documento di identità e di viaggio, altro conto è sapere che esiste una Convenzione che lo tutela. In mezzo ci sono le espulsioni arbitrarie, le detenzioni nei campi di identificazione, i viaggi con naufragio incorporato.

Oggi Fridtjof Nansen è urgente più di prima.

Lezioni di economia

Una volta si leggevano libri con il coltello in mano. Niente di avventuroso, le pagine andavano separate e rifilate lungo i bordi. Ne venivano fuori alla fine dei libri sfrangiati. Mio padre leggeva e tagliava mentre gli giocavo tra i piedi in silenzio, la sera prima di cena.

Mi è capitata un'edizione da coltello in mano e ho ricordato. Un tempo si usavano tagliacarte, io ho fatto con quello del pane.

C'era la povertà subito fuori, ma in casa non sono mancati il cibo, i vestiti, l'istruzione. Lo capiva pure un bambino sbadato, che c'era la povertà e cos'era. Mancanza di spazio, di scarpe, di domeniche, di sazietà. Mancava pure l'affetto. I bambini dei poveri incassavano colpi da togliere il respiro a me che li sentivo battere a tamburo dalla strada fin dentro le orecchie tappate. Era colpa dei soldi la mancanza di affetto.

Vedevo le monete: la cinquelire con il delfino su una faccia e il timone sull'altra, la diecilire con la spiga e l'aratro. Valevano in cambio di qualcosa, oppure da elemosina, che non era uno scambio.

Mamma ne dava a chi chiedeva a mano vuota.

"Fai la carità?" chiedevo.

"No, faccio elemosina. La carità non c'entra coi soldi."

"E con che cosa c'entra?"

Facevo le domande, lei si scocciava di rispondere.

I soldi erano invisibili. Chi li aveva poteva comprare al negozio senza tirarli fuori.

"Segno?", "Segnate". Il bottegaio toglieva la mezza matita da sopra l'orecchio e scriveva la somma non pagata da saldare a fine mese.

Inutile chiedere a mamma, dovevo capire da solo la faccenda dei soldi.

Quelli ben vestiti non pagavano, gli altri dovevano, se no niente. Nei negozi c'era il cartello:

"Per colpa di qualcuno non si fa credito a nessuno". Ci ho messo parecchio tempo a capire che il credito era il modo di non pagare subito.

Il cartello serviva a scoraggiare i poveri. Il qualcuno erano loro, colpa era la povertà. Sapevano bene che il credito si faceva, i ben vestiti uscivano senza pagare.

"Segno?", "Segnate".

Un panettiere invece faceva credito pure ai poveri. Allora decisi che quella era la carità, come aveva detto mamma non c'entravano i soldi.

I miei due appartenevano ai ben vestiti, però pagavano l'acquisto ogni volta. Non volevano debiti, tenere un quaderno di conti. Mi hanno trasmesso la loro usanza, pago subito, niente rate, se ne ho in tasca compro, se no niente.

Oggi credo che pagassero per non distinguersi da chi non poteva comprare a credito. Nella scrittura sacra ho poi trovato il dovere di versare il salario al lavoratore, addirittura il giorno stesso.

Non ricordo se davano a noi figli una somma settimanale. Mia madre mi lasciava ogni giorno i soldi precisi per l'autobus, andata e ritorno. In primavera tornavo a piedi e mi tenevo le cinquanta lire. Andavo già al liceo e una volta che l'autobus di ritorno tardava, entrai in un bar vicino. Mi pagai il mio primo caffè. Mi stupii di quanto fosse buono. A casa dissi a mamma di quella scoperta. Quello che mi faceva trovare al mattino era diverso e peggiore. "E va bene, ci sei arrivato, al mattino vi preparo l'orzo, dicendo che è caffè, da domani avrai quello vero." Con l'orzo lei prolungava l'infanzia. C'era voluto un caffè al bar per affrancarsene.

Se avevamo qualche richiesta domandavamo a loro. Non ci è mancato il necessario, ma era meglio non chiedere altro. Ho imparato così a non desiderare. Oggi stimo un mio lusso quell'apprendimento: ho risparmiato molto senza privarmi di niente, per mancanza di stimolo a comprare. Neanche un biglietto di lotteria: sono lusinghe di vincite che non mi attirano.

È così: a casa non si parlava di soldi. Neanche una volta ho sentito i miei due discutere di conti, entrate, uscite. È stato il più utile insegnamento ricevuto da loro. Che poi è il contrario dell'insegnamento, perché era rifiuto di considerarlo un argomento. Non è stata una lezione impartita, da ascoltare e poi trascurare, è stato esempio, che ha forza di impregnante e che noi figli abbiamo assorbito.

Si sentivano storie di famiglie che litigavano per i soldi, per un'eredità. Da noi è stato impensabile. Faceva ridere il racconto di certi conoscenti che per venti anni trascinavano un litigio per la divisione di alcune proprietà. Così fu che uno di loro convocò tutti i pretendenti in un albergo, e una volta riuniti, chiuse la porta a chiave e disse che non sarebbero usciti dalla stanza senza trovare un accordo. Così fu. C'erano voluti venti anni e un sequestro di parenti. Noi eravamo immuni.

Non che fosse sporco, il denaro, niente farina del diavolo. C'era da lavarsi le mani dopo averlo maneggiato per igiene, non per disprezzo. Era passato da molte mani e poteva portare malattie.

Verso i sedici anni mia madre a Natale mi regalò il primo portafogli, un oggetto da adulti, più per tenerci la carta d'identità che del denaro. Quello e altri successivi dovevano venire solo da lei, che li prendeva da un commerciante mezzo parente, perché i suoi portafogli portavano fortuna. I soldi non c'entravano col merito, erano sotto la giurisdizione della buona sorte.

Credo che il commerciante facesse Cortese di cognome, vendeva pure ombrelli, era calvo e aveva un sorriso contagioso. Ne procurava uno mio di rimbalzo. Non sorrido spesso. Nelle fotografie rispondo di rado all'invito di fingerne uno. Nelle fotografie degli altri mi chiedo perché sorridono. Continuo a credere che dev'esserci una ragione più intima del semplice invito del fotografo. Così invento una spiegazione, una storia di quei sorrisi. Si diventa narratori, credo, inventando i perché delle persone.

Nel primo portafogli e in tutti gli altri mamma lasciava una moneta. Non porta bene regalarlo vuoto. L'ultimo suo sta in un cassetto, disfatto dall'uso.

Ho imparato da solo il maneggio dei soldi, come ho dovuto imparare a cucinarmi, a diciott'anni, lasciata casa loro in cerca di niente, solo di non stare più là.

Era la libertà, una via di fuga senza essere inseguito. Costava sbaraglio e mancanze da imparare. Non la chiamavo povertà, perché non era quella che stava fuori l'uscio dell'infanzia. Ero cresciuto al riparo. Sperimentavo per mia scelta, però senza via di ritorno. Di tutte le storie dei vangeli mi era contraria quella del figlio prodigo che torna dopo avere scialacquato. Quella via era sbarrata alle spalle, come le acque del Mar Rosso richiuse dopo il guado. La libertà era avviarsi in un deserto. Niente aveva di romantico, esigeva pazienze e una disciplina sconosciuta.

Il cibo della manna dovevo procurarmelo da me, trovai un posto di fattorino in un'altra città e imparai i soldi, fare che bastassero. È stata la mia scuola dell'obbligo dell'economia. Non ho fatto progressi in materia, da allora.

Più tardi vennero i lavori operai. Nelle mie visite raccontavo a mio padre qualcosa di quegli attrezzi meccanici che adoperavo, il tornio, la fresa, la pressa, il martello pneumatico, le slitte di acciaio da spingere negli aerei da carico, la pialla a filo e a spessore della falegnameria, la sega a nastro, la betoniera. A lui interessava per capire di me, non dei lavori. Si era laureato in economia e commercio e dopo la guerra si era impiegato. Un figlio facchino, in officina, in muratura, non se lo poteva immaginare.

"Sai fare le saldature?"

Su un cantiere ho fatto l'aiutante di un saldatore e ho avuto gli occhi in fiamme qualche notte. Per rimedio mi disse di mettere sulle palpebre delle fette di patata cruda. Funzionava.

Erano chiacchiere tra noi durante le mie visite. Nessuna riguardava che salario prendevo.

Mamma no, non voleva sentire.

Degli anni bruschi, del mio nome negli archivi di questura non si è parlato. Non mi ha chiesto e si è risparmiato un lascia stare. Però in quegli anni ha aiutato, ha dato un tetto a chi di noi aveva bisogno di starsene in disparte. Gli chiedevo e lui faceva. Non mi sembrava speciale, si prestavano in molti a dare un aiuto a noi, gli indisciplinati politici di cozzo contro manganelli e scudi, poi dentro i tribunali. Invece era speciale fatto da lui a suo rischio pesato.

Di quelle cose non si è parlato neanche in qualche sera che si beveva insieme, padre, figlio e bottiglia. Con l'alcol in giro per il corpo sto più zitto del solito. A lui venivano memorie, nessuna di soldato della guerra. Ho preso da lui anche l'economia dei ricordi.

Sapeva che scrivevo storie, qualcuna ho fatto leggere. Allora una volta in mezzo ai miei trent'anni mi disse che voleva darmi uno stipendio, così potevo smettere i lavori pesanti e dedicarmi alla scrittura. È stato il più generoso invito a tornare all'infanzia, a dipendere di nuovo da lui. Non l'offesi con un sorriso. Gli dissi che la mia vita non mi dispiaceva fino a doverla cambiare. Mi dispiaceva, ma non per mancanza di tempo per scrivere abbastanza. Mi era sufficiente in margine a quelle giornate di salario, al risveglio prima di uscire, la sera prima del sopravvento della stanchezza.

Quelle scritture mi accompagnavano, erano l'ombra discreta a luci basse che si ritirava senza chiedere di più. Non le immaginavo incarnate in qualche pubblicazione da interessare lettori. Non spedivo carte agli editori.

Gli dissi che tra noi non si era parlato di soldi neanche una volta, e questo era stato per me un privilegio principesco. Gli ero grato di quella discrezione mantenuta tra noi.

Non insistette, non ripeté l'offerta né disse di pensarci su.

Parecchi anni dopo ebbe in mano il mio primo libro stampato. Non visse fino al secondo.

Prima di questo si andò da un notaio e lui intestò la casa a mamma, passandole anche il resto delle cose sue. Non era malato, voleva spogliarsi.

Sono debitore a loro due della migliore scuola di economia, farsi bastare quello che c'è.

Mi è servito pure con la scrittura, che ha saputo tenersi nei ritagli del giorno.

Ho ricordato i suoi libri intonsi, si chiamano così quelli con le pagine da tagliare ai bordi. È rimasto così il mio libro dei conti, senza nessun quaderno a quadretti per metterci i numeri.

Gli ultimi tempi loro due hanno vissuto in campagna da me. Cucinavo sul fuoco del camino. Mi chiedeva quando avevo imparato. Era da quando in quella casa mi riscaldavo a legna. I termosifoni si erano aggiunti per il loro arrivo.

"E come fai a sapere quando è cotto e quando invece si brucia?"

Lo sento dal calore della brace quando la stendo per posare la griglia. Dipende dai legni, fanno fuochi diversi. Non c'è una regola e però non mi sbaglio.

"Sei pure fuochista, chissà da chi hai preso?"

Da te, dovevo dirgli, da te ho preso e lasciato, restando figlio tuo, cranio da cranio, libri, vino e montagne. Non mi è uscito. Scriverlo adesso a vita sua dispersa è tacere più profondamente.

Da quando fu sposato non si è cucinato neanche un uovo. Prima consumava in trattoria e prima ancora ci aveva pensato l'esercito.

Gli piacevano le fave, gliele ho piantate. Diceva che quelle del mercato erano più buone.

Queste però sono tue, rispondevo. Non gli faceva differenza, a quel tempo niente era suo. Ho ripiantato fave l'anno scorso, non in memoria sua, ma per avere in cambio il grazie sorridente della persona preferita.

Compravo il vino in Toscana, riempivo damigiane che poi travasavo. Beveva robusto e così potevamo risparmiare. Sul vino mi dava soddisfazione, diceva che lo prendevo buono. Non è stato un intenditore, i bevitori distinguono due varietà, il cattivo e il buono. Neanche io ho papille per i sopraffini, con me sono sprecati.

Dopo il suo funerale lo sognai. Era serio e affrettato, mi dettò un numero telefonico, tre coppie di cifre, ma due erano uguali. Raccontai a mamma e lei giocò l'ambo su tutte le ruote e in più uno secco sulla ruota di Venezia. Il sogno mi aveva visitato lì.

Controllai l'estrazione, non era uscito. Riguardai la settimana seguente, a quel tempo i numeri uscivano di sabato. Eccolo là quell'ambo, quei due numeri, e proprio sulla ruota di Venezia, gli ultimi due dei cinque estratti. Divertito del ritardo telefonai a mamma. Lei lo aveva giocato di nuovo. "S'adda fa' tre vvote", va giocato tre volte. Nel suo napoletano raggiungeva la prosa asciutta, esatta, dell'avviso ai naviganti.

La vincita equivaleva, fino alla precisione delle mille lire, alla spesa del suo funerale.

Non ha lasciato debiti.

Dimenticavo anch'io

Nella commedia "Filomena Marturano", Eduardo De Filippo fa ricordare alla protagonista il momento in cui dovette decidersi. Si stava intorno a un tavolo, al pianoterra di un vicolo di Napoli, le bocche numerose, il cibo scarso, e il padre le fa il discorso. Si era fatta grande, era cresciuta insieme all'appetito e a quella tavola non ce n'era abbastanza. Toccava a lei provvedere. E come poteva provvedere una ragazzina, 'na guagliona? Era andata a offrirsi a quella tale casa di appuntamenti.

"Così, così, così", basta questa ripetizione a riassumere un avvio alla prostituzione.

A Napoli e in chissà quante altre città del mondo l'adolescenza è stata un'età adulta.

Al molo Beverello i vaporetti partivano per le isole. Negli anni cinquanta ero un bambino che a luglio s'imbarcava per la villeggiatura, esordio della felicità. L'odore del mare guasto nel porto, il salmastro delle corde di ormeggio, le chiazze di nafta: nella mucosa del naso mi risale il miscuglio che era per me un profumo. Anticipava l'isola, terra promessa durante tutto l'anno. Ancora oggi quando lo risento, lo tiro su nelle narici con lo stesso piacere.

Il battello era affollato di turisti stranieri. Per loro i bambini di Napoli, scugnizzi mezzi nudi, scalzi, si tuffavano nell'acqua torbida intorno alle fiancate chiedendo di lanciare una moneta. Per divertimento qualcuno lasciava cadere uno spicciolo, subito inseguito sott'acqua, ripescato e, risalendo in superficie, esibito stretto tra i denti dei minuscoli sommozzatori. Li vedevo scomparire dentro l'acqua nera. Prolungavano apposta l'apnea per aumentare l'attenzione del loro spettacolo. I turisti ridevano e si liberavano di qualche altra moneta.

Guardavo e mi accorgevo della sproporzione tra quei coetanei e me. Li ammiravo per coraggio e anche temevo la loro sfrontatezza, la sfida fissa negli occhi. Dal miscuglio dei due sentimenti ne spuntava un terzo, la vergogna. Io al parapetto del battello e loro tra le chiazze arcobaleno della nafta, gli occhi rossi per il contatto. Avevo scarpe, imparavo a leggere che è biglietto d'ingresso che introduce al mondo, avevo i genitori a fianco: scoprivo e ogni anno rinnovavo la scoperta delle differenze. Già sapevo nuotare a stile libero, a dorso, però non sarei mai sceso nel buio di quel fondale. Mai potevo assomigliare a loro.

Ho imparato a Napoli che i bambini prendono tutto sul serio, specialmente il gioco. Non è una distrazione, al contrario è la massima concentrazione. A Napoli giocare si dice pazziare, da pazzia, che è una fuoriuscita di grave serietà.

Di chi erano figli? Di nessuno, la miseria li aveva affrancati dalla proprietà degli adulti. Appartenevano a se stessi. Si spostavano per la città attaccati all'esterno dei tram, tenendosi con le dita ai bordi smussati. Qualche guardia inseguiva, a volte ne afferrava uno, gli altri lo liberavano a sassate. Li accompagnava qualche cane smagrito, bastardo come loro.

Di chi erano figli? Della città che li aveva partoriti a grappoli dopo la guerra e li addestrava a superare il giorno. Era battaglia e gioco, la caccia per il cibo. Vagavano di notte, crollavano di giorno addormentati sopra un marciapiede. Al risveglio cercavano elemosine, scacciati ovunque. L'istinto li riuniva in piccoli sciami con una gerarchia naturale guadagnata sul campo.

Li ho incrociati in altre parti del mondo, ma nel ricordo nessun'altra miseria è stata così brava ad addestrare. Avevano disprezzo degli adulti ai quali si erano ribellati dopo avere buscato botte micidiali. Se n'erano scappati da alloggi minimi e strapieni. Nessuno denunciava la scomparsa. Forse neanche li avevano dichiarati alla nascita. Il censimento a Napoli contava a stento il numero dei morti. I vivi erano eccedenza che doveva sfogare il sovraccarico spargendosi nel mondo.

Essere vita di scarto che deve salvarsi dal macero fa guardare in faccia il proprio luogo. 'O scuorno, la vergogna: chi doveva provarla, loro? Gli scugnizzi, gli emigranti? La provavo io. Alla città che neanche si accorgeva, ripetevo a vuoto la mia domanda muta: "Com'è che non ti vergogni, che non ti metti scuorno?".

Risposta erano gli strilli, gli "allucchi", da farmi tappare le orecchie. Ll'allucche d'e criature: gli strilli dei bambini per strada, accaniti a vivere. Non avevano altro per farsi sentire, i loro strilli. Gridavano e basta, non piangevano. Ridevano a vedere uno di noi bambini singhiozzare. Doveva essere per loro qualcosa che s'imparava a scuola, il pianto. Non serviva a niente.

L'ho saputo allora, esiste uno scalino così buio in fondo alle discese, dove piangere è una raffinatezza.

D'inverno morivano stecchiti per il freddo, oppure soffocati da un braciere improvvisato.

Dall'alto del parapetto di un battello in partenza per le isole, vedevo e non avevo le parole che aggiungo ora a commento. Possono appena questo le parole, fare da mazzolino di fiori sulla fossa comune della loro infanzia. Non mi possono sciogliere il grumo indistinto cui do il generico nome di scuorno, approfondito dalla radiosa indifferenza della città madre.

Al distacco dal molo, al chiasso delle ancore tirate a ogni avvio d'estate, dimenticavo anch'io.

Il torto del soldato

(nuova versione)

Rudolf Wacker, *Statuetta con bambola* (olio su tavola, 1932).

Come mai

Non mi è capitato finora di riscrivere da cima a fondo una storia già pubblicata, né di averne sentito il desiderio.

Di "Il torto del soldato" avevo fatto una versione teatrale rimasta nel cassetto. Mi era piaciuto far raccontare la vicenda direttamente dai personaggi. La differenza tra una narrazione e una messa in scena sta che nella seconda scompare l'autore. Al suo posto parlano e agiscono i caratteri.

Di recente ho messo insieme delle storie di estreme relazioni tra genitori e figli. Da questo punto di vista ho riletto "Il torto del soldato", dove una giovane donna viene a sapere che suo padre è un criminale di guerra, ricercato con un altro nome.

In questa totale riscrittura mossa da un più intimo punto di vista, il tema principale è la convivenza tra una figlia e un vecchio genitore carico d'infamia non rinnegata.

I figli non portano la colpa di chi li ha messi al mondo, la responsabilità dei crimini, per antica legge, resta individuale. Ma c'è la parte non coperta dai codici: la condizione di essere congiunti di primo grado di carnefici. Questo peso non è scaricabile a termini di legge e ha comportato svariate reazioni nei coinvolti. Qui ce n'è una. Non ci si può dissociare dal proprio sangue, da un organo interno.

La Storia maiuscola, schiacciante, non è magistra vitae. Non *ammaestra, altrimenti i suoi allievi – le generazioni – sarebbero bocciati a ogni esame e la loro docente licenziata.*

La Storia non è un archivio, è una materia narrativa. I suoi avvenimenti sono meglio illustrati dai testimoni, dalle lettere, dai racconti a voce.

La Storia del 1900 più di quella di ogni altro secolo ha massicciamente frantumato le piccole storie personali, le singole vite afferrate dal suo micidiale ingranaggio. Perciò va raccontata dal basso, attraverso le vicende private, non dai documenti delle cancellerie.

Il cinema è stato all'altezza del racconto e Chaplin è stato il migliore storico del 1900.

La letteratura svolge lo stesso compito e da molto più tempo, scendendo nelle stanze, nei vicoli, nei drammi. Questa riscrittura vorrebbe rientrare nell'insieme.

"Ci vogliono mille voci per raccontare una sola storia", secondo un detto dei pellerossa americani. Qui se ne aggiunge una.

Imparare una lingua è come piantare un alberello. Le sue radici sono attorcigliate e strette nel vaso del vivaio, così è quando si apre una grammatica nuova.

La lingua yiddish aggiunge un alfabeto differente e un verso di lettura opposto, da destra a sinistra, che comporta anche il rovesciamento del libro, un completo sottosopra. All'inizio l'alberello è incerto nel nuovo terreno, in cui si fa spazio lentamente. Così pure si dirama nella memoria un primo raccolto di vocaboli.

Il mio yiddish risale alla primavera del 1993. Ricordo l'anno perché era il cinquantesimo dell'insurrezione del ghetto di Varsavia, da parte degli ultimi Ebrei rimasti. Le altre centinaia di migliaia erano salite a forza sui vagoni diretti al binario morto della piccola stazione di Treblinka.

Andai a Varsavia per la commemorazione e tornai con l'intenzione di studiare lo yiddish, la lingua degli annientati.

La prima parte del secolo è per me una gamba amputata, che duole anche in assenza. Nato nella seconda parte, risento le sue fitte col disturbo della mutilazione, coi nervi che non si adattano all'arto perduto.

Altri del mio tempo, della metà seconda del 1900, risentono del simile indolenzimento. Per alleviarlo acquistai una grammatica di yiddish in inglese stampata a Oxford, uno dei luoghi in cui quella lingua è coltivata in serra.

La pianta ha attecchito, si è ingrandita, ho potuto leggere e poi tradurre, che è un portare prima fiore, poi frutto.

Oggi si organizzano visite ai campi dell'annientamento. Comitive di studenti si muovono nel recinto paludoso dell'Alta Slesia, in Polonia. Quelli che passavano nudi nei cameroni delle finte docce non potevano immaginare di fondare un museo coi loro corpi. La Storia si prende strane confidenze con le sue vittime, credendo di poterle risarcire.

I loro carnefici, i pochi perseguiti in aule di giustizia, rifiutarono l'accusa di "kriegsverbrecher", criminale di guerra. Jürgen Stroop, liquidatore del ghetto di Varsavia, ancora poco prima di essere impiccato, diceva di se stesso "Sogenannte kriegsverbrecher", cosiddetto criminale di guerra. L'aggettivo negava il sostantivo.

In un giorno di aprile e di nuvole basse entrai da solo nel perimetro di Birkenau/Brzezinka.

Girai per le baracche aperte dove restava l'umido di muffa e di terrore. Mi sedetti su una bassa cuccetta di legno che aveva ospitato i corpi degli stremati. Il silenzio compatto del mattino fece d'invito al sonno, dormii qualche minuto, steso sulla panca di quel legname di pioppo, di betulla. Ero l'illeso che poteva sdraiarsi sopra i loro incubi.

Poi scesi i gradini che portavano alle camere a gas, fatte saltare insieme ai crematori annessi, col vano intento di cancellare prove. Poter risalire quei gradini era il privilegio dell'ospite in ritardo.

Pochi visitatori si muovevano per il campo con la mia

stessa consistenza di ombre. Restai fino all'orario di chiusura. Prima di uscire mi chinai sulla massicciata ferroviaria in rovina, dove i vagoni finivano la corsa. Raccolsi un bullone arrugginito. Non so dire se ho commesso furto di reliquia.

Qui riferisco una storia ascoltata. Avrei voluto fosse capitata a me. L'ho ricevuta da un traduttore yiddish, incontrato in un convegno. Non siamo in molti a leggere in quella lingua, che fu materna per undici milioni di europei. I superstiti l'hanno poi taciuta.

Ci conoscemmo nella sera libera dopo i nostri interventi, il mio su Katzenelson, il suo su Sutzkever. Saremmo ripartiti l'indomani. Ci trovammo a bere, offrii una bottiglia di rosso.

Non era ebreo, lo era suo nonno che era stato con gli Spartachisti a Berlino nel '18 e aveva conosciuto Rosa Luxemburg. Emigrato in America, aveva sposato una donna di colore, una pellerossa, Cherokee. Il nonno gli parlava in yiddish, una lingua segreta di loro due soltanto. Lui credeva che il nonno l'avesse inventata. L'aveva invece nascosta. Dopo la morte del nonno l'aveva dimenticata. La risentì un giorno e si meravigliò che esistesse. Volle studiarla. Questo fu il breve cenno storico sul suo yiddish, dopo che gli avevo raccontato il mio.

Con lui ho scoperto di avere in comune anche un po' di pratica di alpinismo.

Riporto per esteso il suo racconto, rimasto impresso in modo così definito da non poterlo spiegare solo con la buona memoria. Si è trattato di immedesimazione. Mentre raccontava mi succedeva di vedermi al posto suo. Il vino aiutava a sostituirmi a lui, anche gli occhi che mi fissavano, neri come l'inchiostro.

Una locanda di montagna, pochi tavoli, è ora di cena e fuori c'è ancora chiaro in cielo, piena estate. Una donna sulla quarantina è al culmine della bellezza. Ce ne sono di sfolgoranti sulle quali la luce sbatte e si riflette. Di rado ci sono quelle che irradiano di fonte luminosa dall'interno. La loro presenza decide il centro di ogni ambiente, i loro gesti muovono l'aria a onde.

A quarant'anni quella donna seduta a schiena dritta, gomiti appoggiati al bordo del tavolo, è da torcicollo. Doveva essere stata in montagna e non era passata davanti a nessuno specchio, i capelli appena sciolti da una legatura. Ha davanti due birre, ne sorseggia una, l'altra è piena, in attesa.

Entra nella locanda l'uomo che avrei voluto essere io. Ha uno zaino leggero, si vede che è passato da una doccia e da un cambio di abbigliamento. È sulla cinquantina, scarno, la faccia di ossa sporgenti, zigomi, mento, mandibole, occhi più tondi che obliqui. Ha una camicia di flanella chiara, un taglio fresco sulla mano, di sangue appena asciutto.

Guarda la lista delle pietanze scritte su una lavagna, poi si avvia a un tavolo e si accorge della donna, che lo sta guardando. Senza civetteria, con attenzione invece. Lui apre di più le sue pupille nere piantate in mezzo al cristallino. Della sua faccia solo quelle dichiarano la meraviglia. La donna aggiunge un sorriso con il quale chiude, smette di guardarlo.

Lui va a sedersi al tavolo vicino, tira fuori dallo zaino dei fogli scritti in yiddish, per una traduzione.

La padrona del locale lo conosce, si danno del tu. Si avvicina, gli chiede se prende il solito, aggiunge alla domanda: "Ci siamo fatti la bua?". Lui le risponde: "E già, la roccia è ruvida e qualche volta è più ruvida di me. Prendo il solito, grazie".

Si tratta di minestrone e uova al tegamino.

Al tavolo della bellezza arriva un uomo sull'ottantina, di aspetto sano e curato, capelli corti, bianchi, rasato di fresco. Si scambiano parole in tedesco, sono padre e figlia.

L'uomo seduto al tavolo di fianco è immerso nella sua lettura, non se ne distoglie all'arrivo della birra che comincia a bere meccanicamente. Il primo sorso, per lui come per me, al termine di una giornata a zonzo per montagne è un tuffo dentro una sorgente. Facciamo poi la stessa mossa e pure questa mi aiuta a sovrappormi a lui: ci guardiamo le mani. A quell'ora le osservo con curiosità, come dei pezzi indipendenti da me. Sono strumenti misteriosi, le mani, i polpastrelli ispessiti che tengono la presa di un centimetro scarso, aprendo al corpo la via di salita.

Lui si rimette alle pagine in yiddish. Usa il boccale come leggio per appoggio. Per entrare meglio in quelle righe ha bisogno di bisbigliarle. Il suono delle sillabe lo aiuta a tradurre, migliorando la fedeltà. È un sentimento, ha bisogno di suscitarlo, se non gli viene si limita a leggere senza tradurre. È un carico fragile, la traduzione.

Gli sembra che quella lingua ammutolita dagli annientamenti voglia uscire all'aperto, pigliar fiato.

Si mette a ripetere la parola "èmet", verità, l'ultima di un lungo romanzo di Singer. La verità in fondo a un'opera letteraria è un azzardo, la finzione che aspira a verità. Un lettore la può fare a pezzi o riconoscerla con uno scatto di sorpresa, un colpetto all'altezza del diaframma, di quelli che diventano singhiozzo.

Rimugino anch'io. Dove riconosco la verità: nella muffa che suggerì la penicillina a Fleming, nelle truppe sovietiche arrivate nel campo di Treblinka. La verità è una scoperchiatura.

Mentre lui è concentrato sui suoi fogli, al tavolo vicino è cominciata un'agitazione. Il vecchio è scattato in piedi, va al banco, chiede il conto. La donna è irrigidita col boccale di birra a mezz'aria. Anche così è bellissima. Lui la guarda. Il vecchio è uscito in fretta senza ritirare il resto. La donna, perplessa, decide di seguirlo. Ha esitato, come succede coi presentimenti. Poi si affretta all'uscita. Incrocia gli occhi dell'uomo per un attimo, al volo, lo sguardo di un ordine o di un invito.

Lui vede i capelli mossi da un avvio di corsa, poi sente il rumore di un'auto che fa brusca marcia indietro sulla ghiaia, una porta sbattuta, poi una ripartenza.

Spera. Che fantasia è quella di sperare? Mi ha detto che in quel momento sperava che lei non fosse salita in tempo. Poi sul silenzio che copre le speranze sballate, torna ai fogli.

Più tardi esce dalla locanda, si mette alla guida, trova la strada bloccata. In fondo a una scarpata fuma ancora una macchina che ha sfondato il parapetto. Potrebbe calarsi con la corda, la folla è affacciata senza poter agire. Il motore di un elicottero in avvicinamento rende inutile il tentativo d'intervento.

Il racconto prosegue in un altro posto, un modesto appartamento a Vienna. Nell'ingresso ci sono due valigie, in cucina, seduta a un tavolo, c'è quella donna, ma ora ha venti anni. Questa parte della storia lui l'ha ricevuta molto dopo e ascoltata diverse volte.

La ragazza ha appena ricevuto da sua madre la notizia che spezza la sua vita in due, un prima e un dopo.

"Mio padre, avevo un padre. Fino a quel momento lo chiamavo nonno, mi hanno fatto credere che mamma era sua figlia. Invece è sua moglie. E io sono figlia di un criminale di guerra ricercato da decenni. Cosiddetto criminale di guerra, è stata la sua espressione. Elimino per me il 'cosiddetto', messo a protezione.

Da un'ora mia madre è scesa per l'ultima volta dalle scale con le sue valigie. Ho preparato le mie.

Ha riassunto in cinque minuti la storia della loro vita. Dopo la guerra lui è scappato in Argentina. Quindici anni dopo è tornato a Vienna con un altro nome e il lavoro di fattorino del servizio postale. Lei lo ha conosciuto e sposato sapendo chi era.

Se n'è andata, stufa delle ossessioni di un ricercato. Doveva riferirgli ogni sera i movimenti in strada, affacciarsi, segnare la targa delle auto parcheggiate. Lui la rimproverava di abbassare il livello di sorveglianza.

Lei gli diceva di smetterla con la fissazione del clandestino, che ormai era in regola. Lui le rispondeva che non poteva permettersi il lusso di distrarsi. Lei non ne poteva più di frequentare vecchi reduci che parlano di come si poteva vincere la guerra.

Ha sopportato per me, per farmi crescere senza il loro incubo. Ora sono grande e lei va a riprendersi la sua vita. Ha un altro uomo. È ancora giovane. Mi ha detto di decidere che fare ora che sapevo tutto."

Andarsene. All'improvviso azzerare tutto. Poteva sì buttarsi allo sbaraglio la sera stessa, andare a casa di un'amica, inventare bugie, cercarsi un lavoro. Sì che poteva, ma andarsene da cosa?

"Me lo porto dentro il suo sangue. I crimini studiati a scuola abitano qui. I fantasmi della storia esistono e vivono di giorno nella stanza accanto alla mia. Io sono figlia sua per sempre. Lei è solo una moglie, se ne può andare, ma io, come posso andarmene da questa condanna? Ovunque vada me la porto addosso.

Che razza di persona diventa chi ha ucciso in guerra degli inermi e dopo deve fingere un'esistenza normale? Indossare la maschera di innocuo: è così facile rimescolarsi agli altri? Non si tradisce, non ha cedimenti a recitare la normalità?

Si dice: le mani sporche di sangue. Le sue sono pulite, curate. Il sangue non sporca, invece accusa. 'Voce di sangue di tuo fratello a me chiama dal suolo' è detto a Caino dopo il delitto. Il sangue ha una voce, grida, e l'assassino deve silenziarla. Questo è un indizio: lui, mio padre, non sopporta i gridi. Se nel vicinato una lite aumenta di volume, lui mette una musica più forte. I gridi degli uccisi lasciano graffi nell'udito, s'impigliano nei nervi."

Seduta in cucina, le due valigie pronte, decide di aspettare il rientro di quel nonno diventato suo padre.

"L'orologio del campanile batte le sue solite ore e all'improvviso un rintocco è diverso da quello di prima. Il tempo si è spezzato in due, nell'attimo preciso che ho saputo. Da ora in poi il tempo è una camicia di forza che mi lega. Devo aspettare quest'uomo, guardare in faccia il criminale e l'impostore tutto falso, dal nome al compleanno."

L'uomo che mi racconta la storia di quella ragazza lo faceva così, in prima persona, riportando le parole che lei gli aveva impresso rivelando. Mentre lui parlava, immaginavo la voce di lei, lo sgomento e la fermezza in quell'ora di messa alla prova.

La madre è andata via al mattino, dopo che il marito è uscito per il giro di consegne. La figlia aspetta fino al pomeriggio. In quelle ore prende un album di fotografie d'infanzia, scattate al mare. Ci andavano ogni estate, a sud, in Italia.

"A Ischia da bambina imparai il nuoto da un ragazzo dell'isola, sordomuto, figlio di pescatore. Prima m'insegnò a galleggiare sdraiata sull'acqua. Mi reggeva la nuca e la schiena. Le sue dita mi toglievano peso. Dove mi toccava, sentivo una sorgente di calore. Era magro, longilineo, bruno. Mi faceva assaggiare la polpa del riccio di mare. L'apriva con un temperino e sulla punta mi appoggiava quel cibo sulle dita. È stato quello il Sud, un boccone squisito dentro una corazza di spine. Il Nord ero io, una bambina austriaca che diceva grazie a un ragazzino che non poteva sentirla, però vedeva uscire la parola dalla sua bocca.

C'erano tedeschi a Ischia, gli isolani si erano attrezzati con un vocabolario essenziale e un buffo accento. Mio nonno, ora mio padre, diceva che la lingua tedesca non poteva cadere più in basso di così. A me invece divertiva. Lui e mia madre stavano con altre coppie, mi lasciavano molta libertà."

Al rumore dei passi sul pianerottolo mette via l'album. Si rimette a sedere in cucina, aspetta l'ingresso in casa di suo padre il boia. Lui entra, vede le valigie, capisce che è successo. Chiude la porta come al solito con tutte le mandate di chiave. Va in cucina, si siede davanti a sua figlia. È in divisa da postino, un'eccezione, di solito se la toglie subito quando rientra in casa. La figlia si accorge che quell'uomo nuovo davanti a lei ha bisogno di una divisa, anche da portalettere, per affrontarla. È penombra, inizio di sera autunnale.

Lei dice con uno sforzo compresso nella voce, sillabando: "Pa-pà?".

Lui freddamente risponde: "Confermo quello che ti ha detto tua madre".

Lei controlla il suo fiato: "Perché mi avete trattata così?".

Lui senza cambiare tono: "Motivi di vigilanza, tua madre sapeva dall'inizio della nostra relazione, si è abituata alle esigenze. Quanto a te, è stato meglio tenerti fuori, così non potevi tradirti, neanche per errore".

Fermi, separati dal tavolo, dritti di schiena come quando giocano a scacchi, lasciano passare un minuto. Sentono il rumore nel naso dei loro respiri.

Lei ricapitola, più per se stessa che per condividere: "Mio padre morto in guerra. Il quaderno coi numeri di targa, mi dicevate che era un gioco tra voi. Lei e io che dovevamo rispondere al telefono e tu mai. Stupida io, e voi a credermi ancora più stupida".

Lui monotono: "La voce si può riconoscere".

Lei con un principio di accusa nella voce: "Portiamo un nome falso".

Lui la contraddice: "È un nome nuovo, i documenti sono in regola. Non è falso, è un altro".

Lei non glielo permette: "È falso perché non è il tuo".

Lui insiste: "Quello non importa. Sono un soldato, il mio nome è il mio numero di matricola".

Lei aggressiva: "Allora sono la figlia di un numero di matricola. Qual è, visto che mi riguarda?".

Lui impettito incrocia le braccia: "Non devi saperlo, sta in un fascicolo di ricercati, corrisponde a un mandato di cattura. Se un giorno mi raggiungeranno, non mi farò prendere vivo. A cosa credi che servono le mandate a chiave di un modesto appartamento? A scoraggiare ladri? Servono a darmi il tempo d'inghiottire il cianuro. Ci vado anche a dormire. Sono un soldato. Non posso essere giudicato da un qualunque tribunale civile di oggi, che non sa e non capisce niente. Anche il processo di Norimberga fu una farsa: giudici con la divisa dei vincitori, nemici sullo scranno dei giudici".

Lei lo interrompe: "Ecco, mi mancava la posa del suicida, il samurai che fa harakiri. Lasciali in pace quelli, erano guerrieri che si battevano contro dei loro pari, non massacravano gente disarmata".

Lui seccamente: "Non ho detto suicidio. Alla mia età è solo un'abbreviazione. E poi: cosa devi sapere? Sono un ricercato e lo sarò a vita. Un organismo ebraico che avrai sentito nominare ha fatto arrestare più di mille di noi. Il loro capo ha detto che noi dobbiamo sapere di non poter vivere in pace. La pace: sono un soldato, non mi riguarda la pace. Mi disarma, mi rende superfluo. Non mi sono arruolato in un corpo di pace. Devo invece vivere in un'epoca di bottegai. Disprezzo la pace come disprezzo il tradimento".

La figlia insorge indignata e per la prima volta in vita sua alza la voce in casa: "Chi sei? Che essere umano sei?".

Lui reagisce di scatto per istinto: "Zitta! Sei impazzita? Vuoi farti sentire? Non fare scenate. Se non sei capace di controllarti, vattene".

Lei diventa fredda nella sua furia e abbassa la voce con violenza compressa: "Già, non sopporti i gridi, ti ricordano qualcosa? Sono capace di controllarmi. Senti come lo dico da controllata: non mi dire mai più, mai più, di stare zitta. Perché alla prossima non è che me ne vado, alla prossima ti ammazzo io, non il cianuro. Stai certo che ne sono capace, sono figlia di un boia. Sei un soldato sconfitto? Devi fare lo sconfitto con me, da ora e per sempre".

Non reagì. Forse riconobbe nello scatto della figlia un'accettazione. Lei accettò il silenzio di suo padre di fronte a lei come una resa. Non si dissero altro, restarono fermi, opposti, mentre la stanza si era abbuiata. Lei si alzò, accese la luce, che fu per un momento abbagliante per loro due. Poi chiese con la più calma e indifferente voce:

"Cosa vuoi mangiare?".

Lui sciolse la rigidità, rispose solamente: "Vado a cambiarmi".

Come ogni sera si toglie la divisa da postino, ma stavolta l'appende da solo nell'armadio.

"Dalla cucina lo sento cercare nell'armadio la stampella, farla cadere a terra, raccoglierla appoggiandosi alla sedia per potersi rialzare. Deve mettersi prima in ginocchio per piegarsi. Senza mamma deve fare da solo. Le scarpe sono le più difficili. Da poco le ha comprate senza lacci, gliele infilava e gliele toglieva lei. Sapeva già di rimanere senza il suo aiuto e pure senza il mio.

Mentre apparecchio la tavola sento un miscuglio di rabbia e compassione. Rabbia per questo padre, compassione per mio nonno: non insieme, a ondate successive, prima una poi l'altra. Taglio apposta una cipolla per buttar fuori due lacrime insensate. Mamma ha lasciato pieno il frigorifero. Che razza di famiglia mi è sbucata fuori da un momento all'altro."

Rimasta in cucina, si deve fare forza per mettere un piatto in meno e decidere quale posto occupare, il suo o quello di sua madre. Sceglie di conservare il suo. Ripete a bassa voce: "Pa-pà", due sillabe che non vogliono attaccarsi in una parola sola. Sono la formula di una condanna definitiva, appena iniziata a scontare. Fino a poche ore prima sapeva di essere orfana di un padre scomparso in guerra. E di chi è quella sola foto di un giovane in divisa? Verrà a sapere che è del fratello minore di suo padre, lui sì scomparso in guerra.

Dopo una cena muta, mentre lei sparecchia, lui vuole dirle qualcosa.

"Ti chiedi chi hai per padre. Sono un soldato vinto in

guerra. È questa la mia colpa, la sconfitta, il massimo torto che uno come me può fare alla sua patria."

Lei lo interrompe senza voltarsi a guardarlo.

"Il torto del soldato? Lo sterminio sistematico di inermi innocenti si riduce al torto di un soldato? Potevi vincere tutte le guerre, saresti lo stesso un criminale. Non senti neanche il bisogno di nasconderti dietro ordini ricevuti, come hanno fatto quelli come te che sono stati portati in tribunale."

Lui sbuffa. "Gli ordini: cosa credi che sono? Istruzioni per montare un mobile? Erano generici, non entravano nei particolari. Toccava a noi realizzarli, alla nostra efficienza su un territorio ostile che andava sottomesso con l'uso del terrore.

Andavano costruiti da zero, gli ordini. Li abbiamo messi in piedi al meglio delle nostre capacità, con l'entusiasmo necessario all'obbedienza.

Quegli ordini li abbiamo smontati e rimontati, oliati e lubrificati come si fa con le armi, perché non s'inceppassero. Il nostro torto è più grave e imperdonabile, la sconfitta della patria la cui sorte era affidata a noi."

Lei gli risponde che invece i suoi camerati si erano difesi dietro il dovere della disciplina militare, eseguendo ordini precisi.

Lui replica: "'Befehlsnotstand': lo stato di costrizione dovuto a obbligo di obbedienza. Una miserabile richiesta di attenuanti, un espediente da avvocati: ecco perché non mi farò portare in un'aula di tribunale. Tu non puoi capire, nessuno oggi può capire. E poi tu non hai nessun sentimento di amore per la nostra patria".

Lei si volta lentamente e così chiude: "Sono fiera di riconoscere la mia differenza da te. Da oggi ogni cosa in cui non ti somiglio mi darà sollievo. Non voglio più sentire questi argomenti in questa casa".

Nelle settimane seguenti il suo corpo divenne il suo strumento di opposizione. Spezzò il legame con il ragazzo conosciuto al liceo, con il quale stava progettando il futuro. Tagliò corti i capelli che a lui piacevano lunghi. Voleva diventare un'altra, estranea a se stessa di prima.

Riferisco in sintesi l'ultimo loro incontro, così come mi è stato riferito.

"Sei cambiata da un giorno all'altro. Ti si è indurita la voce, è sparito il sorriso. È successo qualcosa in casa? Uno dei tuoi sta male?"

"Stanno tutti bene, sono io che voglio farla finita con la nostra storia."

Inutile attutire, lui apparteneva a un tempo scaduto.

"Dopo due anni insieme, con i nostri progetti, tu insegnante di matematica, io di filosofia: ti sei innamorata di un altro?"

Lei spazientita: "Una donna deve per forza avere un ricambio? Non può desiderare di essere libera?".

"Libera? Eri prigioniera con me? E poi tu sei una ragazza, non ancora una donna."

"Lo decidi tu il passaggio da un'età a un'altra?"

"Cosa ti irrita di me adesso? Che torto ti ho fatto?"

La parola torto era insopportabile per lei, una piaga aperta.

"Che ne sai tu di torti?"

Se li sentiva addosso, i crimini di suo padre che così li riduceva. Erano lebbra quei torti, un contagio che la isolava.

"Non ti conosco più. È spaventoso accorgersi di amare una persona sconosciuta. Come se tu avessi una gemella identica che ha preso il tuo posto scacciando la ragazza che amo, che amavo. Come posso far tornare quella di prima?"

Frasi che si dicono in ogni rottura.

Quella coi capelli lunghi, brava in matematica, non esisteva più.

Si iscrisse all'Accademia di Belle Arti. Si guadagnò indipendenza economica posando da modella nuda nelle aule di disegno. Le sue proporzioni perfette e l'indifferenza agli sguardi le facilitarono le ore di lavoro. Il corpo spoglio è opposto a chi esibisce una divisa.

"Non m'imbarazza denudarmi, star ferma mentre degli studenti mi disegnano sul foglio. A differenza di quelle che lo fanno nei locali per uomini, a me si chiede l'immobilità. Mi svesto in bagno, entro in aula con l'accappatoio e me lo tolgo. La parte faticosa sta nel mantenere la posizione. Il corpo si stanca, fa sentire il peso. Mi metto a pensare a me bambina che galleggiavo a Ischia sulle dita del ragazzo sordomuto. Così raggiungo uno stato di sospensione. Sono adatta al mestiere di statua.

Lui somigliava a te. Quando ti ho visto entrare quella sera nella locanda, ho avuto un sussulto di felicità. Eri il seguito di quel ragazzo d'Ischia."

L'uomo che mi racconta la storia, agisce su di me come uno che detta a uno scrivano. Scandisce bene e piano. Ma allo scrivano succedeva d'immaginarsi al posto dell'autore, di essere entrato io in quel locale, di avere ricevuto quel sorriso, che potevo vedere attraverso di lui.

"Benedetto sia l'equivoco per il quale quella donna mi scambiò per un santo della sua infanzia. Per innamorarsi al volo servono occasioni speciali. Ci si innamora trasfigurando la persona amata, rivestendola da capo a piedi di una volontà di farla coincidere con un modello. Volle incontrare in me quel ragazzino.

Da parte mia, oltre alla sua bellezza, mi sono innamorato della sua lebbra di figlia di un boia. Mi sono innamorato del-

la sua pena. Espiava la sua innocenza nel conflitto insupera-
bile con quel padre maledetto che lei non abbandonava alla
malora. Allora esasperava ogni occasione di differenza da
lui. Lei era sua figlia, una via senza uscita."

Agli studenti che le chiedevano di uscire insieme, non rispondeva. A un professore invece rispose. Alla fine di una
seduta di posa in aula, lui le chiese a voce alta davanti agli
studenti come riusciva a stare un'ora intera zitta e immobile.
"Mi dica la verità. Glielo domando perché vorrei propor-
lo a mia moglie." Lei fece passare la risata degli studenti, ossequiosi verso la battuta del professore, poi disse: "In verità
le rispondo volentieri. Voi siete intorno a me per studiare il
mio corpo. Io sto lì davanti a voi perché non sento la vostra
presenza e riesco a ignorarvi. Proponga a sua moglie di fare
altrettanto".
Stavolta la classe non rise, tranne uno. Sia lei che il professore si voltarono per vedere chi fosse. Rideva di gusto.
Per recuperare la superiorità, lui disse, stavolta in tono di
ammonimento: "Le consiglio di tenere per sé le sue verità".
"Le devo esibire per lavoro, le mie verità."

Riceveva proposte per sfilate di moda. Rifiutava.
"La posa immobile mi proteggeva, mentre le movenze se-
ducenti delle indossatrici mi avrebbero messo in vendita il
corpo con più collaborazione da parte mia. Non avevo e non
ho nessun compiacimento del mio aspetto. Mi spogliavo perché il mio nudo serviva a chi imparava a disegnare l'anatomia.
Uscii con lo studente che aveva riso della mia risposta.
Mi era piaciuta la sua risata spontanea, noncurante. Gli dissi
che era la risata di un artista, di una persona libera.
Lui mi disse che gli studenti mi chiamavano Nike, la sta-

tua di Samotracia. Non avevano sentito prima la mia voce, meravigliati che avessi parlato in austriaco anziché in greco. Gli dissi che non guardavo i loro disegni del mio corpo. Avevo timore di vederlo irrigidito, imbalsamato, come nei quadri di Egon Schiele. Mi disgustava la presa di possesso della sua modella ragazzina. Si chiamava Wally Neuzil. Il suo nome vale almeno quanto quello di Schiele.

Amavo la pittura di Rudolf Wacker, ho scritto la mia tesi su di lui. Il capitolo che mi riuscì meglio era dedicato alle bambole nella sua opera. Ebbe quelle per modelle. Come Schiele, anche lui studiò a Vienna in Accademia, poi fu soldato nel 1914 sul fronte russo. Tornò nel '20 dopo cinque anni di prigionia, liberato dalla Rivoluzione sovietica. Morì d'infarto nel 1939 durante una violenta perquisizione della Gestapo.

Allo studente da me definito artista piaceva invece il tedesco Georg Grosz, drammatico, antimilitarista. Non mi fece la corte, aveva una fidanzata in Sud Tirolo."

Riferì al padre del suo lavoro di modella. Lui reagì con strane domande. Lei capì più tardi che la nudità gli ricordava quella di altri corpi costretti a spogliarsi sull'orlo di una fossa comune scavata alle spalle.

"Qualcuno ti dice di spogliarti?"

"Togli prima le scarpe o cominci da sopra?"

"Davanti a te stanno allineati in una fila?"

"No, sto in mezzo a un emisfero."

Il vecchio commentò: "Tua madre non approverebbe".

"Lei se n'è andata, non la sento più. Ha lasciato che me la sbrigassi da sola. Va bene, sono una donna e scelgo. Resto a fare la figlia, ma sono autonoma, ti tolgo il dubbio di restare per farmi mantenere da te. Hai già abbastanza dubbi di essere tradito da lei, da me."

"Lei non mi tradirà, è dei nostri."

"Fai bene a tenermi fuori, io non sono dei vostri, ma non estranea abbastanza. Neanche una trasfusione totale di altro sangue mi toglierebbe quello di un assassino. Lei era dei vostri, ora non più. Il giorno della partenza mi disse che l'unica ragione per denunciarti ero io, per sciogliermi da te. Le risposi che non poteva liberarmi dal sangue che avevi sparso e da quello che mi avevi trasmesso per contagio.

Mi spoglio per guadagnarmi da vivere, sto bene in quelle stanze dai soffitti alti, guardata da studenti che cercano di diventare artisti. L'arte è libertà alla portata di ognuno."

Per il padre l'arte era invece al servizio del potere. I maggiori artisti hanno lavorato per compiacere dei potenti.

Le diceva: "Il tuo preferito, Velázquez, era un cortigiano al soldo della casa reale spagnola".

Lei replicava: "No, ha dipinto per se stesso, per superare i limiti e se stesso. Ha dipinto per la perfezione. Solo dopo l'ultimo tocco di pennello e dopo l'asciugatura l'opera diventa una merce. Finché la esegue è libera".

Consegnava la posta e gli toccava un indirizzo rischioso, il Centro Simon Wiesenthal, proprio quelle stanze dove si organizzava la caccia ai nazisti nascosti.

Erano gli ultimi mesi prima della pensione, gli era stata affidata la zona perché ristretta e centrale, per fattorini anziani. Si calava il berretto sulle orecchie, eseguiva le consegne in silenzio. Se costretto, rispondeva rauco.

Un giorno davanti a quel Centro un vecchio gli chiese il favore di consegnare un grosso volume, non ce la faceva a salire gli scalini. Il postino si vide costretto ad acconsentire. Per ringraziarlo il vecchio gli sussurrò che lì dentro c'era il segreto dell'immortalità ebraica. Mentre lui lo consegnava al Centro, prese nota del titolo.

Il nazismo aveva fallito, specialmente con gli Ebrei. Aveva mancato il loro sterminio totale e proprio questo aveva sovvertito le sorti della guerra. Tutta l'Europa sottomessa a loro, vincevano su tutti i fronti, e d'improvviso si erano rovesciate le sorti, avevano subìto la disfatta. Le sorti, il vecchio nazista usava questo termine. Le sorti sono il piano inclinato della Storia, che pende da una parte o da un'altra. All'inizio era Gott Mit Uns, Dio Con Noi, il dio della Storia. Poi aveva cambiato bandiera. Quello che si manifestava sulla superficie dei campi di battaglia aveva una regìa segreta in mano a forze occulte. L'Ebraismo era una di queste e cospirava contro la Germania.

Oggi a noi posteri sfebbrati, lontani dalle mitologie del 1900, tali credenze stanno tra le fantasie e il delirio. Allora erano cronache del giorno, titoli di giornali e dicerie ufficiali.

La Germania era vicina alla bomba atomica quanto gli americani. La vittoria era stata scippata dalle mani tedesche tramite una congiura di potenze occulte. Il nazismo giustificava così la sua disfatta. I rovesci militari cominciati in Russia, proseguiti in Africa, erano effetto di un gioco truccato.

Il libro che quel vecchio gli aveva affidato conteneva il segreto che rivelava, insieme all'immortalità ebraica, il dispiegamento di tali forze ostili? Voleva saperlo.

Si procurò quel libro, era un trattato di kabbalá. Cominciò a leggerlo. È incomprensibile senza l'aiuto di maestri, e lui non poteva certo rivolgersi. È pericoloso introdursi da soli in quel labirinto di sfere celesti, le loro orbite vorticose possono dare allucinazioni. Entrò in un edificio senza uscite. Si ubriacò di formule seguendo il meccanismo dei valori numerici delle lettere ebraiche. Scoprì alcune delle loro combinazioni che furono per lui rivelazioni.

Era finalmente arrivato al tempo libero della pensione e poteva dedicarsi alla decifrazione delle manovre segrete che avevano compromesso secondo lui il destino della Germania.

Lei si meravigliava dell'interesse di suo padre per la kabbalá ebraica. All'inizio dei suoi studi lui non poteva dirle che lo scopo era di risalire alla sconfitta nazista, all'esorcismo che l'aveva prodotta. Le spiegava che semplicemente si era incuriosito del sistema numerico delle lettere ebraiche, per cui una parola è anche un numero.

Lei ci vedeva qualcosa di insano, il principio di una fissazione. Che ci faceva un nazista con dei testi ebraici, oltre che bruciarli insieme alle sinagoghe? Ai vecchi senza nipoti succede di dedicarsi a passatempi astrusi, ma lui si dedicava con accanimento e lei si accorgeva di piccoli cambiamenti. Doveva ripetergli che la cena era pronta a tavola, lo vedeva masticare distratto. Non accendeva la televisione per seguire i notiziari.

Lo ha capito più tardi, quando lui aveva bisogno di trasmettere a qualcuno la sua conclusione. Aveva solo lei.

Nella kabbalá c'era un segreto e lui credeva di afferrarne brandelli. Fu una sera a cena, lasciata a metà da lui nel piatto.

"L'Ebraismo è una tenia, verme parassitario dell'intestino dell'umanità, e la kabbalá è la sua testa illesa, rimasta conficcata. Il nazismo si era accanito invano contro il suo corpo. Era stata una falsa pista e tutta la Soluzione Finale un'impresa vana che aveva distolto enormi energie e risorse."

La kabbalá agiva nella storia, annunciandola prima, determinandola dopo. Spiegò a sua figlia che la parola ebraica della distruzione aveva lo stesso valore numerico della terra santa. Era perciò previsto: alla distruzione fisica degli Ebrei corrispondeva la nascita del loro Stato in Palestina.

Le parole ebraiche gli uscivano stridule, una smorfia gli storceva la bocca. Una consonante aspirata lo faceva tossire. Attribuiva alle lettere il sanguinamento delle gengive. Quella lettura gli causava un abbassamento della vista, comprò occhiali più forti. Si sentiva esposto a un'intossicazione, e questo gli confermava di seguire la pista giusta. La kabbalá secondo lui reagiva alle sue intrusioni rilasciando tossine. Si assegnava il compito di incursore solitario dietro le linee nemiche. Niente poteva distoglierlo. I ragionamenti andavano a vuoto.

"Alla fine si tratta di coincidenze."

"Certo che sono coincidenze," le ribatteva lui, "ma premeditate."

Lei resisteva non tanto per smentirlo, ma per il terrore latente di potergli assomigliare. Anche lei credeva in una forza invisibile, quella che la costringeva a accudire suo padre, mentre tutto in lei si ribellava a lui.

"Divinazioni allora? E chi fa la parte del medium, chi si collega con l'occulto?"

"Nessuno, è la kabbalá, questa congiura ebraica che raccoglie secoli di formule capaci di piegare il futuro."

"E se anche fosse? A che serve sapere in anticipo cose che devono comunque accadere? A che serve, oltre che a rovinarsi l'appetito?"

"Serve a proteggersi, a impostare contromosse. Nella Prima guerra mondiale, sulle Alpi gli italiani scavavano dal basso gallerie da far esplodere per sloggiare le nostre postazioni in alto. Allora noi scavavamo controgallerie che eliminavano l'effetto dell'esplosione. Qui è la stessa situazione: conosciute in tempo, le profezie possono essere annullate da contromosse. Noi non ce ne siamo accorti. Lo sto scoprendo ora."

La sera si allungava, il mio narratore stendeva il suo racconto come se lo leggesse. Era il risultato di una storia ascoltata molte volte da lei. Ci fu bisogno di una seconda bottiglia di vino, che volle offrire lui. In attesa di riceverla ci guardammo intorno.

Il bar dell'albergo era ancora affollato di partecipanti del convegno. Circolava qualche espressione in yiddish, qualche barzelletta. L'umorismo non mancò neanche nella sciagura. Forse contribuisce alla resistenza. L'umorismo e non la kabbalá spiega la tenacia. Dal tavolo vicino, una voce raccontava dell'anziano Ebreo che muore e si presenta di fronte all'Altissimo. Era stato nel ghetto di Lódź durante lo sterminio e si mette a raccontare una barzelletta che girava allora. Alla fine ride da solo.

Chiede all'Altissimo: "Non ti fa ridere? Lo capisco, è roba per noi di lì, tu non c'eri".

Una voce protesta, dice che non è una barzelletta ma una bestemmia. L'altra voce replica di non esagerare, è solo una freddura, un poco gelida.

"Riscaldiamoci con un'altra storiella," propone un'altra voce. "A Varsavia i tedeschi hanno intitolato la piazza principale a Hitler. Un ebreo passa sotto la nuova scritta e legge: Hitler Platz. Sospira e dice: 'Magari'."

Stavolta tutti ridono. Se si aggiunge una leggera t in fondo a Platz il significato diventa: Hitler scoppia.

Appena riempiti i bicchieri della bottiglia nuova, riprende il racconto. Trascrivo le sue parole in maniera più sobria di come le ho ricevute.

"Non è questo. Crederei agli dèi dell'Olimpo che s'immischiavano delle faccende umane, anziché a un solo Dio creatore di tutto e responsabile di niente. Quelli dell'Olimpo partecipavano alle battaglie, ci mettevano la faccia. Credo invece in forze invisibili che agiscono nelle vicende storiche. Credo in energie superiori che investono gli uomini e li spingono a compiere imprese. Credo nel destino della Germania, nella conquista del suo spazio vitale."

"Eccoci arrivati al superuomo. Che razza di specchi deformanti hai di fronte agli occhi? Dovresti farti un giro al luna park, c'è una sala in cui ti troveresti benissimo."

"La tua ironia non mi riguarda. Hai sentito che prima ho usato la parola latina Germania. È un'opera scritta da Tacito sugli usi e costumi degli antichi popoli tedeschi. Ne esiste un raro codice e Himmler lo voleva per celebrare la grandezza della nazione germanica. Durante la guerra ci mandò in Italia a recuperarlo nella tenuta di un nobile. Non lo trovammo. Qualcuno aveva avvertito della nostra missione, il proprietario si era dileguato insieme al codice. Forze invisibili ci impedirono di possedere quel simbolo. Siamo stati continuamente ostacolati da potenze nefaste che hanno negato il compiersi del destino tedesco."

"Quanto sforzo di fantasia, pur di non ammettere che avete perso per superiorità di mezzi e di uomini dei vostri provvidenziali nemici. Il vostro Gott Mit Uns era inferiore al loro. Dici di credere, usi a sproposito questo verbo: si tratta di credulità, e tutte insieme non fanno mezzo credo."

"La kabbalá esiste, le sue profezie numeriche sapevano in anticipo, perciò la Germania è ancora da farsi."

"Ma tu sei austriaco o no? O neanche questo è vero?"

"Non conta questa banale distinzione. L'Austria ha dato i natali al Führer. Esiste un solo popolo germanico, unito dal sangue e dalla lingua."

Lei cercò uomini di aspetto straniero. A Vienna c'erano immigrati di mezzo mondo. Con loro cercava di rinnegare il sangue di suo padre, il culto della razza ariana. Di notte riusciva. Il giorno dopo si risvegliava figlia del boia, gli abbracci erano serviti come a chi beve per dimenticare. Nessun amante le prolungava l'effetto dopo l'alba.

Prese la decisione. Fissò l'appuntamento, non dovette spiegare motivi. Riempì un modulo, firmò con quel nome finto e tutto in regola. L'intervento durò meno di un'ora. Uscì dall'ospedale ch'era sterilizzata.

Non avrebbe dato vita a nessuna creatura che continuasse il sangue maledetto di suo padre.

"Questo deve fare la figlia di un boia."

"È stato facile."

Comincia così la parte più intima di questo racconto, quella che potrei dire a memoria, per quanto si è conficcata sotto pelle.

Lei si ripete quel paio di frasi stando seduta davanti allo specchio. Cerca nella sua faccia un cambiamento che riporti il marchio dell'intervento.

D'improvviso lo specchio le parla. È la sua faccia riflessa, ma non muove le labbra. Ugualmente parla. La voce è diversa, viene da una profondità, quella di un pozzo.

SPECCHIO Facile? È stato più facile di quello che pensavi? Come osi questo aggettivo dopo che ti sei fatta legare le tube di Falloppio? Ti sei amputata la maternità, ti sei negata una creatura tua. Cos'hai da guardarmi dritta in faccia? Abbassa gli occhi. Oggi ti sei procurata il lutto anticipato di te stessa.

LEI Chi sei? Non sei la mia coscienza, con lei ho già regolato la decisione.

SPECCHIO La tua coscienza è complice. Sono la tua natura, la bellezza che hai ricevuto in dote e che metti a profitto da modella. Sono la tua carne disprezzata, aperta e poi rinchiusa, sigillata.

Con la coscienza puoi parlare di ragioni, con me no. Con me esiste solo la gioia e il dolore. Non avevi diritto di estirparti la gravidanza, la forza di riprodursi che governa la vita.

LEI Non ho potuto fare come se non fossi carne condannata, maledetta, figlia di delitti feroci e fieri di essere eseguiti. Non sei carne innocente, sei stata snaturata insieme a me. Portiamo addosso l'infamia che va amputata, non deve avere seguito.

SPECCHIO Disponi del corpo come di tua proprietà, ma non lo è. Ogni cellula è stata lavorata dall'evoluzione di innumerevoli donne prima di te, sorgenti di vita della specie umana. Hai ereditato gli occhi, l'emorragia mensile, le unghie che ricrescono caparbie, hai ereditato i denti, le papille che accettano o respingono il boccone. Non sei la proprietaria di tutta questa macchina perfetta.

Sei solo l'ultima abitante della sua natura, vita che risorge con la forza del filo di erba dopo essere stato calpestato da un peso schiacciante. La vita è linfa in salita in mezzo alle tempeste. Il diritto che ti sei attribuita è una bestemmia che aggiunge infamia a infamia, non pareggia niente.

Credi che bastava firmare il tuo consenso? Ci voleva il mio, non il tuo. Forse ti avrei chiuso io il grembo, in attesa della tua supplica di renderlo fecondo.

LEI Ah, è così. Dovevo chiedere a te. Mettere il polso vicino all'orecchio, come un telefono, parlare ai battiti del sangue. Dovevo chiedergli: ti va di diventare un vicolo cieco, una via sbarrata? Dovevo chiedere al seno se era d'accordo a rinunciare alla montata lattea. Chiedere a loro come se non c'entrassero coi geni ereditati dal peggior criminale.

Forse stanno così le cose, come dici tu. Tu sei il corpo, la vita che mi spinge da dentro e mi trascina in avanti. Sei la corrente, nessun precipizio ti trattiene, sei la vita che si butta a capofitto e io sono la vostra ultima abitante.

Mi piacerebbe sentire così. Ma io esisto in questo tempo breve e dannato e non so niente della vostra eternità. Lui mi ha generato, e mia madre sapeva e proteggeva. Mia madre è stata complice e nutrice del seme che diventavo io, bambolina di pezza messa a ciliegina sopra il letto dei massacri. Così è andata, corpo mio, dono di natura inesorabile.

SPECCHIO Perché sterilizzare? Potevi riscattarti con la scelta di un uomo di altro mondo, uno di Africa, un Curdo, un Esquimese, che niente sa e gli importa del nostro forsennato continente. Non dico che poteva essere un Ebreo, non avrebbe accettato di rappresentare un tuo atto di riparazione.

Una figlia, un figlio sarebbero nati da te con caratteri fisici in tutto dissociati da quelli dei tuoi. E avresti sbattuto loro in faccia la tua discendenza figlia di tutt'altro sangue.

LEI Non per rappresaglia contro di lui, un vecchio che sarà presto morto. È per la creatura: avrei spiato le sue mosse per rilevare l'impronta, la replica, l'istinto. Le avrei dovuto riferire di suo nonno, le avrei piantato il bivio nell'infanzia, il dubbio di se stessa.

SPECCHIO Avresti: che bel tempo verbale è il condizionale, il tempo delle ipotesi, dei forse. Glielo dovevi invece alla tua creatura, le spettava la storia, il crocevia, il tuo sbaraglio, la tua protezione. Le spettava la vita.

Con te ho chiuso. Non mi cercare davanti agli specchi, dentro te stessa. Ci troverai la tua sfioritura e un buco di tristezza in fondo alle pupille.

Un'ultima cosa: smetti di raccontarti la storia che vivi con tuo padre perché comunque resti sua figlia, anche se partissi lontano. Ci vivi insieme perché gli vuoi bene e provi affetto. Lo so da dentro, dalle contrazioni alla bocca dello stomaco quando gli rifai il letto, dai battiti che accelerano al mattino quando gli prepari la colazione, dalla cura che metti a apparecchiare la cena.

Vuoi bene a quest'uomo ch'era tuo nonno quando ti metteva sulle ginocchia e t'insegnava a leggere prima ancora di andare a scuola. Che t'insegnò gli scacchi e si lasciava vincere da te. Che ti ha fatto amare la musica, anche quella delle campane.

Non serve che ora ti tappi le orecchie per non sentire. La mia voce esce dall'interno, vedi allo specchio che non muovo le labbra? Ti parlo per l'ultima volta. Accèttati, sei una figlia che accudisce un vecchio genitore. Convivi con i suoi incubi di ricercato, con i suoi miti maledetti. Non sei colpevole di assistenza. Smetti di giustificarti. Non devi inventarti ogni giorno un'opposizione a lui, una differenza tra voi due. È un vecchio scaduto, presto sarà finito. Vivici insieme e basta.

Non puoi disfare il suo né il tuo passato. Niente più da fare con la maternità, niente più da fare con me. Fai pace col tempo che ti resta.

LEI Addio natura non più mia, sì, ti ho negato. Sì, mi sono creduta proprietaria di un destino. Potevo fare in altro modo. Ma posso saperlo solo dopo. I torti mostrano le loro alternative dopo essere stati commessi. Grazie della tua voce, anche muta e senza specchio, so che mi accompagni anche solo con il battito, il respiro e le altre funzioni che non dipendono da me.

Venisse l'uomo da viverci insieme, adotteremo un figlio, una vita rifiutata.

Lo specchio è uno strumento di osservazione, abbondava nei negozi di barbieri. Presuppone un uso vanitoso. Da bambino mi fu detto che a specchiarsi appariva il diavolo. È stato un terrore istruttivo, da allora lo adopero poco e di sfuggita. Si sono poi aggiunte, a conferma della diffidenza, un paio di rimbombanti capocciate nel Labirinto degli Specchi, al luna park. Sbattere contro se stessi è l'urto più irritante.

Sono d'accordo con l'invito a togliersi l'aureola del sacrificio e del martirio, a essere una donna normale.

Dovrà arrivarci e passare attraverso la prova decisiva tra suo padre e lei. Molte vite aspirano a raggiungere uno stato di eccezione, togliersi dall'ordinario. In questa il traguardo sarà diventare una donna normale.

Di cos'altro parlavano quando si trovavano per cena? Dovevano evitare accenni alla storia e alle ossessioni della vigilanza. Lei non chiudeva a doppia mandata quando era da sola in casa, ma lasciava che suo padre mettesse tutti i paletti alla porta quando rientrava.

Non aveva sostituito sua madre, non collaborava alle misure.

Parlavano del tempo, delle montagne, delle spese. Anche di cinema, una volta, secondo quanto ricordava il mio narratore. Il cinema è una mia preferenza, non me ne intendo, ma mi piace ascoltarlo anche come argomento.

Lei aveva visto con entusiasmo "Qualcuno volò sul nido del cuculo", storia potente del conflitto tra libertà e repressione. Per lui erano romanticherie americane.

"E poi: che razza di titolo? Si sa che il cuculo non costruisce nidi e piazza le sue uova nei nidi di altri uccelli. Vuoi paragonare queste storielle con il cinema russo? Le spettacolari riprese dove migliaia di comparse rappresentano storiche battaglie?"

Lei gli replicava che il rispetto per i Russi gli veniva dal fatto che avevano perso la guerra contro di loro, e solo dopo anche contro gli alleati.

"Noi siamo arrivati fino al Volga e fino alle porte di Mosca."

"Loro vi hanno inseguito fino a Berlino."

Cambiava discorso, sua figlia stava coi vincitori.

"Invece della propaganda americana, guarda un film come 'Ottobre', l'assalto imponente al Palazzo d'Inverno degli Zar."

"Chi l'avrebbe sospettata la tua ammirazione per Ėjzenštejn, un regista ebreo?"

"Niente di strano, quelli sanno raccontare bene le leggende. Il monoteismo l'hanno inventato loro, e pure la Rivoluzione russa."

La figlia studiava in Accademia anche la storia del cinema e aveva letto i diari di Ėjzenštejn.

"La presa del Palazzo d'Inverno? Entrarono di notte da un ingresso laterale in poche centinaia, marinai e bolscevichi male armati. Ma Ėjzenštejn non aveva la pellicola per le riprese notturne, così la girò di giorno e con assalto dallo scalone principale. Impiegò cinquemila comparse armate con fucili caricati con munizioni vere. Ci furono più feriti durante le riprese che nell'assalto vero."

"Propaganda americana."

"Macché, figurati che nel 1927 c'era lo stesso custode di dieci anni prima, presente alla vera azione. Disse al regista che la prima volta erano stati più prudenti."

"Questo vi insegnano all'Accademia?"

"No, questo lo trovi nei diari del tuo Ėjzenštejn."

Il padre non aveva voluto leggere la tesi della figlia sul pittore Rudolf Wacker. Lei glielo rinfacciava: un artista austriaco, un soldato, lui lo rifiutava perché ostile al nazismo.

"Tu lo hai studiato e preferito per questo motivo. Io lo rifiuto per la stessa ragione."

"L'ho scelto perché era un artista e perché non usava modelle. Tu sei chiuso in un'ignoranza volontaria, peggiore di quella degli analfabeti senza mezzi d'istruzione. Tu hai la possibilità di conoscere e te la neghi per ottusità. In questo sei moderno. Oggi si pratica l'analfabetismo volontario."

Mi trovo d'accordo. Oggi si sceglie di non voler sapere, ci si esclude da una conoscenza e si pretende di negare l'esistenza di fatti non graditi. Si arriva alle bizzarrie di chi afferma che la terra è piatta. L'ignoranza volontaria è un caso clinico non ancora studiato.

Mi consolo con esempi ammirevoli del passato. John Milton, poeta inglese successivo a Shakespeare, divenne cieco e disse che esserlo non era una disgrazia. Disgrazia era l'incapacità di sopportarla. Vide i suoi libri condannati al rogo, annusò l'odore della carta bruciata al posto della sua carne. E continuò a scrivere.

Con il mio narratore ci siamo permessi una pausa, una divagazione.

Da giovane le stragi del mio secolo agitavano i miei sentimenti, mescolando le compassioni alle collere. Poi il tempo ha camminato, lo vedo sulla mia faccia. Oggi entro nella piaga della storia senza fremere. Raccolgo il racconto come uno che va dietro al mietitore e ammucchia il taglio in covoni.

Nell'ultimo anno della loro vita insieme, lui credette di attribuire alla kabbalá pure la cattura in Argentina del criminale nazista Adolf Eichmann, poi processato e impiccato a Gerusalemme. Volle spiegarlo alla figlia per avvalorare le sue cautele.

Nel sobborgo di Buenos Aires dove viveva sotto falso nome con la famiglia, il figlio maggiore di Eichmann s'innamora di una ragazza del vicinato. Lei è ebrea e non lo sa. Suo padre è fuggito in Argentina prima della guerra e non le ha rivelato nulla delle ragioni che lo mossero. I due ragazzi si frequentavano e lei andava spesso a cena a casa di lui. Il ragazzo le faceva dei discorsi contro gli Ebrei, lei ne riferiva ingenuamente a suo padre. Una volta il figlio di Eichmann le aveva rivelato il suo vero cognome. La ragazza accennò anche questo a suo padre. In segreto l'informazione passò in Israele, dove si organizzò una squadra per rapirlo e portarlo a Gerusalemme.

Che c'entra la kabbalá? L'amore aveva fatto trapelare il segreto e amore ha lo stesso valore numerico della divinità ebraica. Chiaro? L'amore è il suo trucco, il suo stratagemma preferito.

Lei restava scettica e seguiva a stento.

"Non capisci? Eichmann aveva rastrellato e caricato sui vagoni centinaia di migliaia di Ebrei, era il massimo esperto. E non si accorgeva di avere in casa una di loro? Attraverso l'infatuazione amorosa la kabbalá ha introdotto in casa Eichmann la divinità vendicatrice. È scritto nelle coincidenze numeriche."

A lei interessò la sorte della ragazza ebrea. Anche lei aveva saputo all'improvviso, da un'ora all'altra, di chi era figlia. Anche per lei le conseguenze erano state definitive. Per sfuggire alla rappresaglia nazista dovette cambiare nome e continente. Era solo una ragazza innamorata. Era stata trasformata in uno strumento della storia, in una pedina della sua rara giustizia, usata e poi scartata. Il suo cognome Hermann era falso, suo padre le aveva mentito per proteggerla, ma l'aveva anche trattata da incapace d'intendere. La figlia del boia aveva condiviso la stessa sorte, la stessa processione di menzogne dell'altra figlia, quella dell'innocente.

Il 1900 ha scavato voragini tra genitori e figli.

"Che razza di padri ci ha consegnato questo secolo ventesimo. Era ora che finisse." Questo il commento dell'uomo a me di fronte, bevuto un sorso. Non sono d'accordo con lui e glielo dico, non posso permettere a nessuno di denigrare la mia epoca.

Dopo la kabbalá su Eichmann, il padre aveva scoperto un'altra coincidenza numerica e si era convinto che stavolta riguardava lui. In Ebraico la parola fine ha lo stesso valore numerico del verbo vendicare. Dunque la sua fine avrebbe avuto la forma di una vendetta. Divenne ancora più guardingo e sospettoso. Aveva scoperto la profezia e doveva scongiurarla con la massima sorveglianza.

In quell'anno ruppe anche con il piccolo gruppo di anziani ex nazisti in pensione. Già lo prendevano in giro per le sue consegne di postino al Centro Wiesenthal, dicendogli che si era infettato.

La rottura fu definitiva quando lui volle spiegare loro la storia del Golem di Praga, il servo automa costruito dal rabbino nel 1600. Il Frankenstein di Mary Shelley ne è una sbiadita variante.

Sulla fronte della creatura artificiale era incisa la parola "èmet", verità. Questa scritta la rendeva invincibile. Lo stesso artefice si preoccupò e ne temette le conseguenze, perciò decise di annientarla, cancellando la prima lettera della parola, la àlef, di "èmet". Resta la parola "met" che significa: morto. Cancellata la lettera, il Golem muore.

I vecchi camerati lo ascoltarono scuotendo la testa.

"Non è chiaro? Gli Ebrei non sono il popolo eletto, come ci hanno fatto credere mettendoci su una falsa pista. Sono invece il Golem, il popolo servo, automa, della loro divinità, con la parola 'èmet' scritta in fronte. Basta cancellare la àlef e sono morti. Ci siamo affannati a sterminare un popolo mentre bastava frugare nel loro segreto e cancellare tutte le lettere àlef dai vocabolari, dai libri, dalle matrici dei tipografi. L'annullo di quella lettera li avrebbe annientati tutti. Si può ancora fare."

Era troppo per dei vecchi incalliti nella mitologia della vittoria rubata. Il loro camerata delirava, irrecuperabile.

La figlia, cui riferì lo scontro, fu lieta che non li avrebbe più frequentati. Tornava dalle riunioni esaltato e gonfio di birra.

Questo racconto sta a premessa di quello che accadde nella locanda dov'è cominciata questa storia.

Lei, ora donna sulla quarantina, ha un sussulto quando vede entrare nella locanda l'uomo che mi racconta. Ha cercato nella sua vita le mani capaci di toglierle il peso, di farla galleggiare. Di ogni uomo ha guardato prima la forma delle mani.

Le era successo l'opposto, di affondare sotto il corpo degli uomini.

Dirà poi a lui: "A loro piace far sentire il peso. Non sanno vedere una donna, sono ancora sotto l'impressione sbagliata del primo che davanti a Eva dice: 'È osso delle mie ossa e carne della mia carne'. È vero il contrario, gli uomini sono carne e ossa delle donne".

Ora trascrivo lei.

"Quando ti ho visto entrare ho avuto un vuoto nel respiro. Eri il seguito incarnato del ragazzino pescatore. Ti ho sorriso per reazione, un crampo di felicità. Lo so che non potevi essere lui, eppure lo eri ugualmente, per la mia commozione e per la mia volontà.

Poi mi hai sorriso in cambio, solo con gli occhi, come faceva lui. Mi è tornata sotto la lingua la polpa dei ricci di mare, offerta sulla punta del suo temperino. Mi hai guardato come da lontano, di chi mette a fuoco una distanza. Io mettevo a fuoco il tempo di quelle estati entrate insieme a te nella locanda."

Ci s'innamora anche così, sùbito, e pure a dire sùbito si perde la velocità di quell'istante. Si era caricato molto prima, accumulato come una valanga su un pendio. Uno sguardo scambiato la distacca, la fa precipitare. Ci s'innamora in discesa, a capofitto.

"Tu eri al tavolo vicino quando mio padre venne a sedersi. Lo vidi invecchiato all'improvviso. A stare con una persona ogni giorno per anni non ci si accorge dei cambiamenti. Averti visto mi rimandava indietro alla bambina di trent'anni prima. Mio padre che doveva appoggiare le mani sul tavolo per sedersi mi riportava al presente, era un vecchio, stentava. La sua andatura rigida scricchiolava, sulla sedia poggiò il peso in caduta.

Tu eri uno sconosciuto e improvvisamente ti ho riconosciuto. A una donna questo succede in un attimo. Fantasticavo bevendo la birra. Ricordavo la spiaggia di notte, quella bambina sdraiata sotto la Via Lattea che spartiva il cielo in due. Mi sentivo staccata, lontanissima, come allora.

Nessun uomo ha saputo arrivare ai miei palpiti, sparsi per tutto il corpo. Solo il ragazzino sordomuto mi ha fatto sentire una foglia distesa a galleggiare.

Una notte mi prese la mano e mi fece posare il palmo sulla sabbia. Sentii il suolo vibrare, scuotersi, agitare la mia mano. Era la scossa di un terremoto e lui l'aveva sentita arrivare.

Dalle case si alzarono dei gridi, lui fece al buio un sorriso che gli aprì la bocca. Mi aveva fatto toccare la forza che dal profondo affiora in superficie. Fu il mio punto di estasi. Sotto le mie dita, ho immaginato più tardi, avevo ricevuto l'orgasmo della terra."

"Quella donna," mi disse interrompendo la voce di lei che mi stava dando la vertigine, "era un giacimento di segreti. L'intimità con lei è condividerli. Starla a sentire mi unisce a lei con più forza di qualunque abbraccio. Sapevo il tedesco attraverso lo yiddish. Tra noi le due lingue si intrecciano. A lei piace, le ricorda il Sud, l'accento napoletano nel tedesco.

Un anno dopo ho saputo quello che accadde nella locanda. Il vecchio aveva sentito un mio bisbiglio in yiddish, quella parola 'èmet' che lui conosceva. Si era voltato e si era accorto dei fogli in caratteri ebraici che leggevo. Si convinse ch'era stato raggiunto dai vendicatori che così gli annunciavano la visita.

Si era precipitato fuori senza aspettare sua figlia, che restò indietro, indecisa. Poi lei gli corse dietro e nella fretta mi guardò di nuovo. Restai fermo, che è una maniera sicura di sbagliarsi sempre.

Sentii il rumore di un motore potente, una marcia indietro strappata, una portiera sbattuta, la ripartenza brusca. Lei era salita al volo.

Era loro l'auto in fondo alla scarpata. Lui era morto sul colpo. Lei era stata scaraventata fuori prima dell'impatto. Mi disse questi particolari nella locanda in cui l'ho ritrovata un anno dopo."

"Sono stata sul punto di lasciarlo andare. L'impulso di fuggire lo aveva travolto, l'intenzione di impedire la profezia della kabbalá sulla sua fine come una vendetta. Ha creduto di essere stato raggiunto. Lungo i tornanti abbordati a velocità da pilota ripeteva a se stesso: 'Mi hanno trovato'. Ero esclusa, in quel momento per lui non esistevo, non sentiva che gridavo di fermarsi, che non c'era nessuno. Sul rettilineo raggiunse la velocità di 190 km. Era il numero della coincidenza in Ebraico tra fine e vendetta, rimasto registrato sul contachilometri. Alla curva era inutile frenare, la macchina sfondò il parapetto e volò nella scarpata contro il bosco.

Sono stata io o la mano del ragazzo sordomuto a sganciarmi la cintura di sicurezza. Al primo impatto sono volata fuori dal parabrezza, tra i rami di un abete. Mi sono svegliata in ospedale, avevo fratture e ferite dappertutto.

Ne sono uscita quattro mesi dopo e altri quattro di riabilitazione.

È stato il tempo della separazione dalla vita di prima. Tolta l'ultima fasciatura, ero sciolta da mio padre il boia. Non ha pensato di farmi morire con lui. Altri nazisti si sono suicidati dopo aver ucciso i figli. Lui no, non mi ha chiesto di seguirlo, mi avrebbe lasciato lì. Sono stata io a saltare sulla macchina. Lui neanche si è accorto che ero a fianco, a gridare.

Potevo rimanere alla locanda, lasciarlo alla sua fuga? Non potevo, oppure non mi è venuto in mente che potevo. Sciogliermi illesa da lui, non potevo."

"La sua identità è rimasta sconosciuta anche a me.

Sulla tomba c'è il suo nome fasullo. Mia madre mi ha chiesto se volevo saperlo, le ho risposto di no. Non voglio più neanche quello finto. Sto prendendo il nome di lei. Mi libero della moneta falsa.

Per un anno di convalescenza ho pensato che sarei tornata alla locanda nello stesso periodo. Mi sarei seduta allo stesso tavolo e avrei aspettato.

Eri un abitudinario o uno di passaggio? Saresti entrato da quella porta a quell'ora di sera per la cena? Oscillavo tra la certezza e la minima probabilità. Ci si impunta su delle aspettative, ci si attacca con una presa che può fare male. È servito a darmi scopo, a tenermi compagnia, a prendermi in giro guardandomi allo specchio."

Aveva bisogno di raccontare la sua storia a me, lo sconosciuto mezzo riconosciuto. La dovevo ascoltare e questo serviva a lei per poterla capire. Ci vuole una persona di quelle che s'incontravano sui treni di una volta, con la certezza di non rivederla più e che non avrebbe giudicato.

Quei treni di carrozze sgangherate col rumore infernale dentro le gallerie: quei treni avvicinavano i viaggiatori. Si attaccava discorso e quando partiva una confidenza ci si trovava soli anche se c'erano altri passeggeri. Ero entrato nella locanda come dentro il suo scompartimento.

L'ascolto di chi lascia narrare, senza interrompere per dire la sua, l'ascolto che non deve scendere alla prossima stazione e addirittura prosegue oltre la sua destinazione per arrivare in fondo alla storia: questo ascolto permette all'altra persona di trovare le parole per dire. Perché sono le sue stesse parole a fargliela capire: la loro scelta improvvisata, il flusso dei pensieri che si mettono in fila per esprimersi, il tono di voce che li trasporta.

Non ti ho detto perché sono tornato alla locanda. Per abitudine, ci passo ogni mese di luglio quando sto in Dolomiti. Non ceno lì ogni sera e non sono tornato per lei. Mi dispiace dirlo: l'avevo dimenticata. Quando sono entrato e l'ho vista allo stesso posto, ho capito. Lei mi aveva voluto lì. Non esiste in natura una volontà più forte di quella di una donna. Adoperiamo lo stesso verbo volere per il maschile e per il femminile, ma è un errore. Ce ne vorrebbe uno solo per loro.

Quella donna mi voleva in quel posto e io le ho risposto senza saperlo. L'ho vista e ho capito cosa si era accumulato in quella mia giornata per farmi andare lì la sera.

Si crede di decidere le proprie azioni, poi vengono dei momenti in cui si riconosce di essere stati condotti per mano come dei bambini da un marciapiede all'altro. Ci sono forze, attrazioni che smentiscono la pretesa di essere padroni di se stessi.

Da quel momento mi sono sistemato dentro la sua volontà. Non è obbedienza, è la riuscita dell'unione tra una donna e un uomo. Lei è il verbo volere, io sono la sua aderenza alla realtà.

La traduzione non è il mio mestiere principale. Sono restauratore di opere d'arte, specialmente dipinti. Si interviene su delle ferite. Non ho il sangue freddo dei medici, non saprei curare un corpo, ma la superficie di una pittura può essere guarita.

Stai pensando che lei con me è guarita? Non questo, non potrei, ma con me lei ha aderito meglio alla sua stessa vita. È stata lei a chiedermi se me la sentivo di adottare un bambino. Le ho risposto: due. E così è andata.

"Se tu non fossi venuto? Avrei salito qualche montagna intorno, avrei recuperato forze, mi sarei arrabbiata con te prendendo a calci qualche pigna caduta. A sera sarei tornata alla locanda, non so per quanti giorni. Lo dovevo a me stessa, il tentativo.

E tu sei entrato dalla porta a vetri, come quella sera, facendo suonare il campanello attaccato sopra. Ero lì, con una birra davanti, i capelli più corti e una cicatrice sul mento.

Hai guardato dalla mia parte. Ho tirato un sospiro, alzato gli occhi al soffitto. Quando li ho abbassati tu eri in piedi accanto al tavolo e chiedevi se potevi sederti. Ho accennato di sì con la testa, ammutolita.

E poi ti ho guardato in faccia, a lungo, e tu con pazienza ti sei lasciato guardare. Non eri imbarazzato, fissavi la fronte, l'attaccatura dei capelli. Mi hai detto poi che non assomigliavo a nessuna donna precedente.

Abbiamo scelto la stessa cosa, ho voluto quello che prendevi tu, minestrone e uova al tegamino.

Poi tu mi hai detto il nome e io ti ho risposto il mio, niente cognomi. Non ci siamo stretti la mano. Tu hai posato la tua sulla mia, più le dita che la mano intera, mi hai detto benvenuta in tedesco e in yiddish.

Prima che io ti racconti di me, dimmi perché sei qui stasera."

La seconda bottiglia era finita e il bar stava per chiudere. Ci avviammo alle stanze, saremmo partiti l'indomani.

Viveva con lei da dieci anni, si erano sposati, lei aveva preso il suo cognome. Avevano adottato due bambini, una cinese, uno dell'isola di Ceylon.

Lei gli aveva raccontato la storia fino a liberarsene. Con me era la prima occasione di riferirla. Mi ringraziò dell'ascolto, io della confidenza. Ci scambiammo indirizzi.

Poi gli chiesi quello della locanda in montagna, magari un incontro così potevo farlo anche io. Allora rise, e io risi con lui.

Grazie

Da anni non li sento più. Un callo si dev'essere formato sulle piccole ossa delle orecchie. Non lascia passare il rumore delle chiavi, delle porte di ferro sbattute. Rimbombano senza più raggiungermi nei corridoi pensati da architetti sordi che non hanno passato neanche una notte in prigione.

Da anni mi ritrovo a dire di questo spazio chiuso: la mia cella. Il pronome possessivo mia unito alla parola cella: assurda proprietà. Non ricordo quando ho cominciato, rientrando da un interrogatorio, dalla seduta di un processo. Ho detto mia e non mi sono morsicata la lingua. La cella era diventata mia.

Mamma cara, ti scrivo per ringraziarti. Dopo dieci anni, stamattina sono uscita da tutti i portoni sbarrati. L'ultimo mi ha dato le vertigini. Era il confine del mondo, le colonne d'Ercole oltrepassate da Ulisse, lo Stretto di Gibilterra. Di là c'era l'oceano. Mi sono appoggiata ai ferri intorno ai polsi, mi sono difesa dalla luce, dall'aria, dall'odore della libertà. Oltre il portone c'era indifferente, sfrontata, prepotente la libertà di fuori.

Non ero ammessa, solo accompagnata al cimitero a darti il mio saluto. Non mi hanno fatto vedere i parenti, la famiglia in cui sono cresciuta. È stato meglio così, se non potevamo abbracciarci.

Ti ho visto poche volte gli occhi chiusi. Una fu nella tua prima visita in prigione. "Come mi sono meritata questo?" Non era un rimprovero a me. Era il tuo sgomento. Avrei voluto accarezzarti, in quel momento eri la figlia che non ho avuto. C'era il vetro divisorio. Non piango, mamma. Per uscire, le lacrime hanno bisogno pure loro della libertà.

Grazie di queste ore all'aria aperta per questo maledetto appuntamento. Ho guardato in su, il cielo senza muri. È piccolo nel cortile dell'ora d'aria, un rettangolo, ne calcolo il perimetro. Al cimitero se ne stava disteso, incalcolabile, senza uno straccio di nuvola a coprire la sua nudità. Era vuoto, asciutto come gli occhi. Mi ha fatto rabbia, era da schiaffi.

Li avevo ai lati i muri, due guardiane con le catenelle legate ai ferri dei miei polsi. Due guardiane mute, più giovani di me, a scortare i miei passi senza mettermi fretta.

Un passante con dei fiori in mano ci ha incrociato, per un momento ho creduto che me li volesse offrire. Chissà se si usano ancora per gesto di galanteria.

I cipressi non mi piacciono, oggi ho capito perché. Non fanno ombra. In terra c'erano solo le nostre allineate a fianco. Mi piacciono gli alberi frondosi che hanno la forma di funghi giganti. Li disegno a memoria sui quaderni, riempiti di una mia foresta di querce, di conifere, di faggi. Qui ho imparato a disegnare.

Leggo i libri della biblioteca, mi è rimasto impresso "Il buio oltre la siepe", di una scrittrice americana. Ho copiato la frase che fa dire al suo protagonista:

"Prima di vivere con gli altri, bisogna che io viva con me stesso. La coscienza è l'unica cosa che non deve conformarsi al volere della maggioranza".

Stanno così le cose pure per me. La coscienza è indipendente dalle maggioranze. Dev'essere per forza minoranza.

L'ho saputo da te, dalle tue litigate con papà che fingeva un decoro borghese che non ci potevamo permettere. I nostri vicini facevano finta di partire per le vacanze, caricavano bagagli e poi tornavano di notte di nascosto. Non li abbiamo imitati perché ti rifiutavi. Però i vestiti dovevano essere puliti e stirati alla domenica. Era questione di dignità. Non si impara. Papà puntava sulla schedina del Totocalcio.

La coscienza è minoranza pure dentro la singola persona, che la zittisce per comodità.

Sconto la pena che mi hanno assegnato. Mi spetta, non do colpa a nessuno. Da oggi mi pesa meno, senza di te che per dieci anni hai fatto la fila davanti al portone della prigione per poi essere perquisita sotto la biancheria.

Le cose buone che mi cucinavi mi erano consegnate a pezzi, perquisite anche loro. I dolci sventrati, la pastiera di Pasqua ridotta a pappetta. La mangiavo a cucchiaini, gli occhi chiusi, come se m'imboccassi tu.

Da stesa hai finalmente le mani a riposo. Sono ancora gonfie di lavori. Hai gli occhi stretti di quando cucivi e i capelli corti di quand'eri ragazza. Non mi hai scritto di averli tagliati. Sei bellissima. Le due rughe sulla fronte si sono distese, disegnano un sentiero.

Mi portavi a cogliere le more in estate, la cicoria in inverno. Sono di tutti, mi dicevi, sono così buone per questo.

Non sento più le cicale, che ti piaceva sentire. Mi invento il loro suono quest'ultima volta insieme.

Quanto tempo è passato? Non da allora, no, da quando sto vicina alla tua cassa. Che dico? Non è tua, è solo una busta e tu sei la mia lettera.

Quanto tempo è passato: non contato a minuti, ma a granelli di sabbia nel collo di una clessidra. È un tempo franato, caduto sul fondo, non un ticchettio di orologio. Qui non ce l'ho, le ore non le decido io, non sono mie. Questo tempo accanto a te sì, è stato mio.

Un giorno uscirò di qui, camminerò di nuovo in linea retta, consumerò la suola delle scarpe. Porto da dieci anni le stesse e sono ancora nuove.

Tra noi non si chiude, non si conclude niente. Noi due continuiamo nella distanza che è stata condanna e ora è alleanza. Appaiate come due gambe, prima va avanti una, poi tocca all'altra. Non ci accavalliamo, andiamo. Siamo le generazioni, nessuno ci può fermare.

Grazie mamma, è più leggera da stasera la cella, la mia cella.

Un'espressione artistica

Lois Anvidalfarei, *Che precipita* (bronzo, 2016).

Centimetri dodici per dodici per diciotto, oppure centimetri dodici per dodici per sei: sono le misure dopo lavorazione della roccia effusiva di nome leucitite. Più risaputo è il suo soprannome: sampietrino. Lastrica le strade di Roma dal secolo sedicesimo per la premura di papa Sisto V. La sua posa in opera non prevede leganti, solo battitura su fondo di sabbia e pozzolana con lo strumento detto mazzapicchio. Questa messa in opera ne favorì l'uso improprio e politico, tramite il verbo disselciare. Bastava un cuneo per staccarlo dalla pavimentazione.

Dei due formati classici il più pratico era il secondo, meno pesante e comunque impegnativo da maneggiare. Gli studenti di Fisica dell'Università La Sapienza di Roma ne calcolarono la gittata media di metri dieci circa, dalla leva di un braccio maschile.

Il 1968 fu l'anno accademico del sampietrino estratto dalla sua sede e proiettato in volo.

Ero arrivato nella capitale in quei mesi dell'insubordinazione di una gioventù che aveva smesso di essere docile per darsi alla critica di ogni autorità. Istituzioni, partiti, rettori, presidi, bidelli, genitori, magistrati, forze pubbliche, questori, commissari: ogni titolo di autorità era negato. Oltraggio a pubblico ufficiale era il minore degli articoli del codice penale trasgredito.

Imparai la democrazia delle assemblee, l'eloquenza delle parole d'ordine, le votazioni per alzata di mano. Una gioventù nuova da cima a fondo si prendeva la parola e non se la faceva togliere neanche in un'aula di giustizia, dove veniva processata a comitive rastrellate in piazza.

Ci accorgevamo di un paio di virtù: eravamo numerosi, figli di dopoguerra, della spinta di un popolo a riprodursi dopo le decimazioni. Eravamo anche la prima generazione acculturata in massa. Le due virtù riunite erano incendiarie.

Questa imprevista gioventù sciamava fuori dalle aule universitarie e dagli istituti scolastici, gonfiava di se stessa le vie di Roma, entrando in collisione con le truppe del Primo Reparto Celere, specializzate in repressione delle manifestazioni.

Ero coetaneo di quella gioventù, perciò ne feci parte. Alternativa era disertare le sue fila e non mi venne in mente. Fu anno di avvio di scelte perentorie, dentro o fuori, con o contro, insieme ai molti o da soli.

Entrai nel fitto dei cortei. Al nostro passaggio ritmato dalle sillabe scandite a piena gola in coro da migliaia di voci, faceva da contrappunto il rumore di saracinesche abbassate. Da qualche parte spuntavano i reparti, gli scudi, le uniformi, i manganelli, i fucili da sparo dei gas lacrimogeni. La variegata gioventù serrava le sue fila sottobraccio, imparando a non indietreggiare. Cominciò allora l'uso improprio dei sampietrini tramite il verbo disselciare. Quando ne presi uno in mano, mi sembrò un macigno. È il peso di ogni inizio di sollevazione.

Come da studio balistico, il lancio aveva una gittata di circa dieci metri, dunque la distanza tra noi e le truppe era ravvicinata. Questo comportava che il tiro di sbarramento spettasse alla prima fila, altrimenti le seconde avrebbero colpito la prima alle spalle. Fu una dinamica imparata facilmente. Ogni corteo aveva i suoi disselciatori. Roma era ancora largamente lastricata a sampietrini, una riserva a portata di mano. È stata la mia sola lezione di geologia. A Napoli, da dove provenivo, si camminava sopra il basolato vesuviano. La lava era finita sotto i piedi, ma i blocchi erano grandi, nessuna possibilità di uso improprio.

C'erano tra noi dei figli di padri celebri in politica: ministri, deputati, senatori. Eravamo extraparlamentari, consideravamo la strada, l'assemblea, le sedi della democrazia. Il primo articolo della Costituzione assegna la sovranità al popolo. L'intendevamo alla lettera.

Per i figli degli illustri la rottura era più aspra. Riguardava gli affetti, non solo le convinzioni.

Per loro il passaggio dalla soggezione alla critica totale era stato più lungo e contrastato. Dovevano dissociarsi dalle cariche pubbliche dei padri, fisicamente contro di loro scandire il grido e le conseguenze.

Più amara la rivolta nelle stanze, le tavole lasciate con uno scatto della sedia all'indietro e con davanti il piatto ancora da finire. La voce alzata, lo scambio delle accuse, l'insulto politico e poi la porta di casa, le chiavi gettate in terra, la voce di una madre che tentava di placare invano. L'addio all'adolescenza fu brusco per noi tutti, ma per loro di più.

Eravamo intrattabili, miscuglio di collere e ragioni. I figli di quei padri aggiungevano il rinnegamento del nome. I sassi che tiravano erano contro i loro genitori. Il lancio lasciava un contraccolpo nella loro spalla, più indolenzito il tiro successivo. Per diritto di oblio non ne nomino nessuno.

Se catturati nella mischia, portati in questura, non avevano addosso documenti per non farsi trattare in maniera diversa dai funzionari, ossequiosi dei loro padri. È stato l'unico periodo in cui i privilegiati hanno diminuito se stessi per pudore.

Nell'ottobre del 2017 la Galleria Nazionale d'Arte Moderna a Valle Giulia inaugurava la mostra retrospettiva sull'arte e il '68 intitolata: "È solo un inizio". Era metà frase della parola d'ordine delle rivolte francesi del maggio '68: "Ce n'est qu'un début". L'altra metà proseguiva: "Continuons le combat". Da qui anche il nome della successiva organizzazione rivoluzionaria italiana Lotta Continua.

Visitai la mostra, era povera e muta. L'arte riferita a quell'anno era una modesta collezione di farfalle infilzate sulle pareti. Era una decorazione senza tensione, movimento, slancio. Eppure, molti artisti dell'epoca si erano fatti prendere e agitare dall'insubordinazione generale. Cito a memoria e in modo incompleto: Beuys, Boetti, Castellani, Kounellis, Matta, Schifano. Davano loro opere, subito vendute, per sostegno ai nostri movimenti. Ne avessimo conservato una metà, avremmo avuto di che allestire un museo. Niente di quella partecipazione risultava in quella piccola mostra.

In una sala, ammucchiati sul pavimento, c'erano dei sampietrini. Non ricordo il nome dell'autore che li aveva suscitati a espressione artistica. Lì e solo lì ho intravisto la forza politica che contro leggi e gravità li staccava da terra e li lanciava in aria, scuotendo le impalcature dell'autorità. Accatastati in una sala del museo erano pesi inerti, non si potevano impugnare.

Qualcuno chiede ogni tanto che n'è stato di quel tempo, cosa ha lasciato. Rispondo: il vuoto, quello del buco degli ombrelloni tolti a fine estate, profondo, pure bello a vedersi, prima che la sabbia lo ricopra senza lasciare segno.

Novella di un tempo lasciato

Ho questa dote, trasmessa da mio padre e da mio nonno: so trovare l'acqua sotto terra.

Ho ereditato il loro bastone, un frassino duro che vibra nella mano quando passo sopra a una sorgente. Scavo e abbevero le cento pecore affidate.

Con questa dote posso andare dove nessun altro pastore può, a rischio di far morire il gregge.

Sto lontano per varie settimane, al ritorno sono mie le pecore meglio nutrite e gli agnelli svezzati. Sono il preferito del padrone, perciò malvisto dagli altri.

Stare lontano mi salva dal malocchio e dalle cattive intenzioni di chi vuole rubarmi il bastone. Ho già dovuto usarlo come arma.

Nel deserto c'è da stare svegli di notte per tenere a bada i predatori. Accendo un fuoco e conto le greggi delle stelle, il cielo è un pascolo a perdita di occhio, bene per me che non sono il pastore.

Accendere un fuoco, una cosa da niente quando si è al villaggio. Ma per farne uno ovunque, c'è da prepararsi. Ho un rametto secco di ginepro e ci sfrego contro gli arbusti delle praterie. L'attrito riscalda, poi dal primo fumo nasce la scintilla. Mio padre si aiutava con lo zolfo, che da noi si trova sulle rocce. È vita il fuoco, protegge contro il freddo della notte e quello peggiore dell'alba. In più difende: quando vedo splendere nel buio gli occhi degli sciacalli, li scaccio agitando la torcia. Hanno terrore del fuoco, che quando parte scortica la terra senza lasciare niente. Basta agitarlo, il fuoco, per farli guaire di paura.

Il pastore dorme a metà, con una parte vigila. Mio padre mi ha insegnato a dormire con un sasso in mano. Quando cade, mi sveglio.

Nella stagione delle piogge le pecore scendono nel torrente in secca a bere nelle prime pozze. Le capisco, bevo anch'io quelle acque saporite. C'è dentro il polline seccato, i datteri, la prima pioggia è dolce. Ma il pastore deve farsi coraggio e scacciare le pecore dal letto del torrente. A monte si carica la piena e quando senti il ringhio è troppo tardi. Arriva la valanga di acque e sassi, ogni bestia sorpresa è bestia persa. Ha più forza di una carica di bufali, la piena.

È pure spreco di abbondanza, non si ferma, non si fa assorbire, scappa via. Si butta nel Giordano o si disfa nel deserto, l'acqua caduta che non costa fatica attingere, perché scende da sola. Il cielo in quelle notti scroscia a torrente. Il pastore ritrova le caverne dove aspettare l'alba.

Una volta restai fuori più a lungo. Avevo raggiunto una montagna, trovando una sorgente d'acqua calda e fumo dalla terra. Ero salito per curiosità capitando in una larga radura, l'erba soffice odorosa di cannella. Intorno era una siepe di cespugli spinosi, un riparo già pronto.

Era la mia scoperta. Tornando al villaggio avrei potuto chiedere al padrone un prestito di pecore da restituire con gli interessi e farmi una mia stanza sulla montagna calda. Potevo anche sperare in una moglie. I servi pastori non ne hanno diritto e neanche hanno diritto a un nome. Nessuno di noi ne ha uno, ci si chiama con un fischio, diverso uno dall'altro. Il mio è breve, due sillabe di fischio.

Tornai dopo lunghe e lontane settimane. Ebbi la sorpresa di trovare il villaggio abbandonato. Se n'erano andati, ma non c'erano segni di razzia di predoni. Si erano portati quello che potevano mettere sui carri.

Ero diventato il solo abitante del villaggio, il suo custode, forse il suo padrone. Avrei potuto avere un nome, riceverlo e portarlo.

Fuori del villaggio trovai nello spazio del bestiame una distesa di ceneri e di resti umani. Capii che avevano bruciato molti di loro, anche dei bambini. Era passato l'angelo della morte, aveva soffiato la sua pestilenza sul villaggio. I superstiti erano partiti da poco, la cenere era tiepida.

Conosciamo la lebbra, ci proteggiamo mantenendo in disparte i colpiti. Ma ci sono febbri che non si vedono, bruciano da dentro, aggrediscono un territorio e c'è da abbandonarlo, come negli anni della siccità.

Siamo polvere sul palmo della terra, un vento arriva e ci solleva, partiamo in carovana come le formiche.

La febbre senza corpi da prendere si spegne.

Ero l'ultimo e d'improvviso il solo.

Mi accampai all'aperto, non volli entrare in nessuna abitazione. Fu all'ora del sole sceso a terra che si alzò una voce. Nell'isolamento i pastori sono abituati a sentire richiami. Il nostro udito esercitato percepisce suoni da più lontano di dove arrivano gli occhi. Nel silenzio denso come quello che sta dentro una nebbia, si ha smania di sentire una qualunque voce, al punto di inventarla. Perciò non reagii e non risposi. Le pecore erano calme, segno che l'avevo sentita solo io.

Il canto delle cicale è il più simile alle parole della mia lingua. Nella calura all'ombra delle tamerici è facile capire quello che si dicono. Ma era sera, non era di cicala quella voce.

Avevo acceso il fuoco. Quello di mirto e di ginepro secco soffia, tossisce, scoppia fitto. È un racconto fatto dalla sua fiamma, con la brace che ascolta insieme a me. Ma non era di fuoco quella voce.

Non era di vento, non ce n'era. E non era di lontano tuono, nessun odore suo, di temporale, che si può sentire fremere la terra dal desiderio che le arrivi addosso.

Era voce di quando si cala il secchio nel pozzo. Mi avvicinai all'abbeveratoio, scoperchiai la pietra dell'imbocco. La sentii, di nuovo.

Era una voce, non capivo se di sciacallo o di persona.

Poi crebbe ancora e allora mi alzai in piedi accanto al pozzo. Senza sapere perché, mi misi scalzo e mi coprii la testa. Nel silenzio perfetto della prima sera e dell'ultima luce, sentii dentro le orecchie, pure dall'interno, chiamare il nome mio nitidamente, due volte, ripetuto. Il nome mio: come sapevo che quello era il mio? Eppure lo riconobbi, come da sempre avuto.

Due sillabe: Mosè.

"Eccomi," dissi.

Ultima storia

In questa raccolta metto in ultimo il rapporto più difficile. Sta a fondamento di una religione.

La divinità nel Cristianesimo manda il proprio figlio in terra allo sbaraglio, più duramente di un padre che arma un figlio e lo spedisce in guerra: perché con la fortuna potrebbe scampare alla mattanza. Qui no: il figlio è condannato a morte senza appello e fin dalla nascita.

I poteri reagiscono contro il neonato facendo strage di coetanei nel tentativo di sbarazzarsene. È pratica diffusa tra i tiranni. Erode prima di quelli altrui aveva ucciso i suoi.

Il cristianesimo inizia con la missione suicida di un figlio mandato da suo padre. Pur essendo il suo unico, il figlio si rivolge chiamandolo nostro, non mio. Si affratella così alla specie umana, considerandola adottiva di suo padre.

Pur essendo missionario con poteri speciali, non ha privilegi né protezioni angeliche. Cresce in ambiente di artigiani, pratica l'officina, non si sposa. Aspetta i trent'anni per dichiararsi e inaugurare il mandato.

Giovanni lo fa esordire durante una festa di nozze rimasta a corto di vino. Matteo invece riporta un suo discorso circa le letizie, rivolto da un'altura a una folla intensamente attenta.

Non imita Mosè, non detta legge. Con la fermezza delle persone miti dichiara il primato degli oppressi, la squalifica degli oppressori. Chi lo ascoltava voleva non smettesse. La sua parola dava sollievo al corpo.

Una siffatta creatura, beniamina dell'umanità, farla morire giovane anziché stracarica di anni e di benedizioni? Senza rispondere all'ultima preghiera del figlio, di allontanare il calice, spostarlo anche di poco, glielo fa bere fino alle ultime gocce di agonia.

Ha fermato il coltello sguainato da Abramo sulla gola di Isacco, ma non ferma il supplizio di suo figlio sulla trave romana a forma di T.

Lascia che sia deriso dai soldati sotto il patibolo. Gli dicono di sciogliersi, di scendere, visto che dice d'essere figlio di chissà chi.

Il salmo ventidue, firmato Davide, ha già anticipato scene dell'esecuzione: le ferite alle mani e ai piedi, l'invito ironico a schiodarsi dal legno, la spartizione dei vestiti, la gola assetata. Ma nel salmo il finale è aperto, non è un necrologio.

Per la durata dell'infanzia, dell'adolescenza e della gioventù suo padre lo dà in adozione. Giuseppe/Iosef è stato il suo tutore.

Dopo i trent'anni lo reclama con forza di distacco dalla famiglia naturale. Perciò suo figlio disconosce i suoi: "Chi è mia madre?" chiede a chi gliela indica, e poi aggiunge che la sua famiglia è composta da chi lo sta ascoltando in quel momento. Le missioni estreme esigono lo scioglimento dei vincoli più intimi. Ma pure obbedendo alla chiamata, non s'impedisce al cuore la pena dello strappo.

Ci sono autorità terrene cui è affidato potere di grazia. Lo esercitano con avarizia.

L'autorità celeste ha un'altra giustificazione: vieta a se stessa di potere tutto. Quel padre si proibisce l'intervento a favore del figlio.

In altri passi della scrittura sacra si legge che ha rivisto i suoi decreti, revocando condanne annunciate dai profeti. La divinità usa addirittura per se stessa il verbo pentirsi, in base al quale ritira o sospende la sentenza. La distruzione di Ninive annunciata da Giona/Ionà è revocata dopo che la città si è messa in digiuno e penitenza.

Niente revoca per suo figlio: lascia che muoia come un bandito appeso a un palo. Il cristianesimo si fonda sulla obbedienza estrema e docile di un figlio verso il padre.

Le generazioni si commuovono fino all'indignazione per le sofferenze dell'immolato innocente, che però non fu innocuo. Fu nocivo e nuoce ancora a danno e discredito di ogni forma di oppressione: dell'uomo sull'uomo, dell'uomo sulla vita del pianeta.

Ci si commuove per il Cristo inchiodato, gli si contano i passi e le stazioni fino alla sommità della collina nuda. E si china la testa di fronte alla fermezza del padre. Stasera io la sollevo. Ripercorro il cammino di quel padre che non ha risparmiato a se stesso nessun istante del supplizio di suo figlio, sapendo che poteva interromperlo, salvarlo, risparmiarlo. Bevendo invece insieme alla sua creatura il gigantesco boccale dell'impotenza volontaria.

Stasera aggiungo la mia compassione per il genitore straziato, disperato, che lasciò eseguire la condanna a morte di suo figlio.

Nei dipinti, ai piedi della croce si trova una madre affranta. Ma c'è pure il padre, autore e responsabile del creato intero, a palpitare insieme. Chiuso nel corpo di suo figlio, non ha altro posto. Nel suo trovarsi ovunque, in quei momenti è esattamente lì.

"Sarò con te," disse a Mosè una volta. Ora è con suo figlio, voce del verbo essere, presente indicativo.

È scritto che si squarciò la tenda del tempio nell'ora della morte. Si lacera così per lutto, un padre, la camicia. C'è un dolore abissale in questa storia, e non riguarda il figlio.

La sua resurrezione non è risarcimento. Nessuna spina è tolta a loro due, per quei giorni di sangue.

Una cronaca

In fondo a queste narrazioni inserisco un episodio di cronaca vera e una storia a ritroso.

La mattina del 5 agosto 1942, circa duecento bambini uscirono in fila per cinque dall'orfanotrofio del ghetto di Varsavia per salire sui vagoni diretti a Treblinka. Il corteo era seguito da un uomo di sessantaquattro anni. Si chiamava Henryk Goldszmit, per suo nome di scrittore aveva scelto Janusz Korczak. Era il direttore dell'orfanotrofio. Ne portava due in braccio e un terzo camminava attaccato alla sua giacca. Salì con i bambini sul vagone merci e fu sua decisione, li volle accompagnare. Fu ucciso con tutti loro il giorno stesso.

22 luglio 1942, il suo compleanno, nel ghetto di Varsavia iniziano i grandi rastrellamenti. Korczak è portato tre volte ai vagoni diretti a Treblinka dalla Umschlagplatz, stazione di partenza delle deportazioni, e per tre volte viene riportato in salvo all'orfanotrofio.

18 luglio 1942, Korczak organizza una recita dei bambini. Portano in scena "L'ufficio postale", di Rabindranath Tagore, dramma proibito dalla censura. Si rappresenta un bambino malato che muore mentre sogna di fare una corsa in campa-

gna. Gli chiedono perché ha scelto una storia così triste. Per abituarli all'idea della morte, risponde.

Maggio 1942, inizia a scrivere una sua autobiografia, pubblicata dopo la guerra come diario. In un rigo si legge degli orfani di cui si prende cura: "Bambini buttati come conchiglie sulla spiaggia".
Qui aggiungo dei miei versi scalcagnati a commento.

Arrivano conchiglie sulla spiaggia, i loro gusci vuoti.
Alcuni sono intatti, altri spezzati, sbattuti con più forza dalle ondate.
Dove c'era la vita resta la madreperla.
Dev'esserci una formula svelata alle conchiglie
per la quale la morte è un'apertura.

1942, Korczak è arrestato perché rifiuta di portare al braccio la fascia che contraddistingue un Ebreo.

1941, l'orfanotrofio deve trasferirsi, i nazisti restringono il perimetro del ghetto. Ora si trova al 9 di via Śliska. L'edificio è più piccolo, gli orfani sono duecento.

1940, a ottobre i nazisti recintano il ghetto di Varsavia. Gli orfani sono trasferiti al 33 di via Chłodna, sono centocinquanta. Korczak è arrestato e chiuso nella prigione Pawiak, sede di torture e esecuzioni sommarie, per avere richiesto la restituzione di un carico di patate sottratto all'orfanotrofio.

22 luglio 1878 o '79 (colpa di suo padre la confusione) nasce a Varsavia l'uomo di cui accenno qualche data. Si occupa di bambini e della loro educazione da medico e dai vent'anni in poi. Il resto della sua vita lo affido all'eventuale curiosità di chi ha letto fin qui.
Nessuno lo ha chiamato papà. Agì da padre anche se non

lo era. Negli abissi del disumano, il semplice umano abbaglia come la raffica di un lampo.

"In balance with this life, this death."
William Butler Yeats

Indice